新潮文庫

古くて豊かなイギリスの家
便利で貧しい日本の家

井形慶子著

新潮社版

7444

はじめに　日本の家はこのままでいいのか

イギリスに通い続けて考えたこと。いったい「本物の家」とは何か？

一九歳の時にイギリスを訪れて以来、かれこれ六〇回近くイギリスに行っている。情報誌の編集長をしている私は、仕事として行くこともあれば、ただのんびりするためにカメラを片手に日本を飛び立つこともある。

イギリスは訪れるたびに何かしら発見がある。

それは目からウロコの斬新《ざんしん》な情報があふれているというより、ふだんの生活の中で無意識に気にかかっていたことが、「ああ、こんなふうにすればよかったんだ」と自然に思えてくるようなソフトな気づきである。

人から「同じ国に何度も出かけて、よくあきませんね」とよく言われるが、一〇代の頃から自分の成長と共に一ヵ国に通い続けるというのは敬愛する師匠について長い期間教えを乞《こ》い、技を磨きつつ人生を極める姿勢に似ていると思う。一つの基軸があれば、その時々の状況に添って自分にとって必要なものが必ず見えてくるはずだから。

最初にイギリスに行った一九歳の時は、このまま大学を続けるのか、就職はどうするのかと悩んでいたので、大学生のバックパッカーやヒッピーまがいの若者に目がいった。

二〇代では同世代の小さな子供を連れた若い夫婦の姿をやたらと追い続けた。娘を連れて離婚した私が二度目の結婚を目指していたせいだ。

そして、三〇代に突入し、仕事も私生活も安定した頃から、私には新たな興味のターゲットが出てきた。それがイギリスの「家」だった。

長年、マンション暮らしをしてきた私にとって、いつかは庭いじりのできる一戸建てに暮らすのが夢だった。イギリス住宅に関心を持ち始めたのも将来の夢にそなえて――と、心のどこかで潜在的な思いがフツフツと沸き立っていたのかもしれない。

そして私の渡英は、いつからか家やインテリアを見る旅に変わっていった。

幹線道路からさらに農道を抜けて丘を二つ三つ越えて出現するような名もない小さな村のB&B《ベッドアンドブレックファースト》（民宿）に泊まるたびに、カメラを取り出し、玄関ドアから室内にいたるまで写真を撮った。

地方の小さな町や村にあるB&Bは、未亡人や人好きなイギリス人夫婦が自宅の使っていない部屋を客室にしている。当然、バスルームやトイレ、ダイニングはオーナー家族と一緒に使うことになる。簡易ホテルのようなロンドンのB&Bに泊まり慣れると、このような宿に辿《たど》り着いた瞬間、期待と興奮で身震いしてしまう。これから宿泊するイギリス人の家の中はどんな間取りで、どんなインテリアなんだろう。

庭はどこからどこまで広がっているんだろうか。

そこにはどんな花がどんな取り合わせで植えてあるんだろう。

裏庭から見たこの家の外観はどうなっているのか——。

カメラを持って歩き回ると魅力的な古いイギリスの家は使われてある部材が重厚なことにも気づく。全体から部分へと興味が移っていくのだ。

古いパイン材の室内ドア。玄関ドアに付く真鍮《しんちゅう》のブレスターボックス（郵便受け）。縁の欠けたステンドグラスも日本のアンティークショップで見たものと同じで、それがふんだんに部材として使われている。日本では一枚三〇万円ぐらいの値段がついていたのに、何とぜいたくなことだろう。外壁に使われているライムストーン（石灰石）

は、角が欠けて苔《こけ》が生えているのにベージュの色合いが絶妙だ。日本の園芸店やホームセンターでは絶対手に入らないだろう。

何から何まで本当に羨《うらや》ましい。アンティークまでも家の部材に組み込むなんて。しかも、これは築一〇〇年前後のイギリスの家では当たり前のことだから。

書くときりがない。

本物を組み合わせてでき上がった家は、たとえ築年数がたっていても奥深い趣きがあるのだ。

イギリスの住宅に興味を持った私にとって、イギリスを訪問することは、いつしか無限に続くリアルなオープンハウス体験となっていった。

東京では建て売りや中古住宅の売り出しにつきものの、道端の旗やステカン（捨て看板）。そんな広告に誘導されるままにフラフラとオープンハウスと書かれた旗の立った建て売り住宅を見て回る。建材の匂《にお》いのする玄関でスリッパに履きかえて室内に踏み込む時のあの高揚感。

でも、イギリスでいろいろな町のB&Bに泊まり、その近辺の住宅地を歩き回ることで、それ以上の夢や興奮を感じることができる。

いつか一戸建てを購入するとしたら、いつか家を建てるなら……こんなふうにしたいと思うアイディアが、いくらでも目に飛び込んでくる。そして、そんな興味は建物ばかりか家並みにまで発展していった。

ある時、イギリス北部の工業都市リーズの近くのリッポンという小さな町で、住宅地の一角があまりに中世的で美しいので一時間同じブロックをグルグルと歩き続けた。通りの端から家並みを眺めると、灰色の石垣が流れるように連なって見える。色合いもデザインも似た家ばかりが続いている。そのたたずまいは、住宅というよりまるで城壁のようだ。こんな思いを抱いて一度でも日本の住宅街を歩いたことがあっただろうか。私は次の予定がなければ一日中、その住宅街を歩き続けていたかもしれない。


日本人の住宅観には思想がない。

どんな暮らしをしたいか家からは見えてこない。


イギリスの家に興味が深まるにつれ、渡英はさらに待ち遠しく、充実したものになった。

問題はそんな旅を終え、日本に帰国した瞬間だ。成田空港から東京都内にもどる途中、時差ボケの目で眺める風景。高速の両側に広がる派手な看板、電信柱、プレハブ住宅にコンビニ、いきなりのビル、その横に建つ建て売り住宅。毎回、そんな風景を見るたびに力が抜けてしまう。

イギリスの丘陵や古い石造りの街並みがこびりついた頭で、自分の国、日本の街を直視するのが耐えがたいのはなぜだろう。自分が単なるイギリスかぶれなのかと思った時期もあったが、これは瞬間的なカルチャーショックのせいではない。

日本の家は、貧困なのだ。

どんな専門家が現れて、反対意見を唱えたとしても、イギリスの家を知るにつれ、私はけっして今の日本の家が豊かで魅力あふれるものとは思わなくなってしまった。新築物件はとても多いのに、安っぽい住宅地。それが一〇〇年前の古家が建ち並ぶイギリスの住宅地に対抗できるとはとても思えない。

それは、東京に住む人の三割が今でも一間しかないアパートに住んでいるとか、日本の住宅の広さが欧米の三分の一しかないウサギ小屋だとか、そんな単純なことではない。

来日したイギリス人の人類学者が日本の住宅地を見て回り、「すべてオースチァ・ハウス！（耐乏住宅）」と言った言葉を思い出す。

経済大国日本の家の本質はどこかでズレてきているのか。

あるイギリス人は、「日本人はオフィスビルをあれだけ豪華に作り上げるのに、なぜ住宅はお粗末なのか」と言っていた。

彼は仕事で日本に住んで一〇年になるが、いまだに日本人の住宅観が分からないと言う。何を基準に住まいを選び、どんな暮らしをしたいかが、家から見えてこないのだそうだ。

そう思っていたところに、ガーデニングブームが湧《わ》き起こり、この数年の間にイギリスもどきの庭が日本全国あっちこっちに出現し、舌を巻いたという。色とりどりの草花にちぐはぐな洋風住宅に付け足されたイングリッシュガーデン。色とりどりの草花に囲まれ、けれど多くの人たちは、行く先も分からず敷かれたレールに乗って暮らし続けている。

だとしたら、これほど不気味なことはない。そのことにいったいどれくらいの人が気づいているのだろうか。

目次

第2章　賢すぎる日本の家

第3章　家具とインテリアの向こうに見えるもの

本文写真——和田久士（p25，p31，p175）
エアビジネスコンサルタンツ（p53，p82，p133，p219）
井形慶子（p125，p161）

古くて豊かなイギリスの家
便利で貧しい日本の家

第1章

なぜ日本人はイギリスに憧れるのか

あるがままに育つイギリスの家

日本人の中高年に人気のイギリスの「庭」「インテリア」「暮らし」

レンタカーでロンドンを離れ、名もない小さな田舎町をあてもなくドライブするのが、私がイギリスに行く楽しみの一つである。

ところが、ここ数年、迷い込むようにして訪れた村で、しばしば日本人と遭遇する。私と同じく一眼レフのカメラやビデオを持っているので（そして誰もが下ろし立てのような服を着ているので）、言葉を交わさなくても日本人だということがすぐに分かる。

彼らは、村の中心部にある教会を撮影したり、ハイストリート（商店街）の後ろに広がる住宅街——レジデンシャルエリアを散歩したりしている。または、イギリス住宅の玄関回りに広がる前庭（フロントガーデン）に見とれ、写真を撮り、とても幸せな顔をして歩き続けている。こういった旅行者には、四〇代以上の夫婦がとても多い。

最近では、「イングリッシュガーデンに触れる旅」「環境保護（ナショナルトラスト）を知る旅」と銘打った旅行会社のイギリスツアーに参加する定年前後の中高年層が非常に増えたそうだ。

ある旅行社が中高年向けに「イギリス人家庭にホームステイする一週間」というツアーを企画し、新聞広告を出した途端、全国から申込みが殺到し、第二次、第三次と募集枠を広げたという。

書店に並ぶイギリス関連の紀行本やエッセイは「本の売れない時代」にもかかわらず、順調に部数を伸ばしている。ガーデニングブームの火つけ役もイギリスであることは周知の事実で、潜在的に日本人のイギリスに対する強い憧《あこが》れがあればこそ、そのパーツである「庭」や「インテリア」や「暮らし」はいとも簡単にブームになっていくのだ。

二〇年前、私は偶然訪れたイギリス南西部の小さな村に強い衝撃を受けた。

石造りの建物がこぢんまりと建ち並び、村の中心を流れる小川に白鳥が童話の挿し絵のように優雅に浮かんでいた。そこに広がる静かな人間の暮らし。しかも、二〇〇メートル近い丘陵は空の向こうまで続いていて、その自然の中に同じような小さな村が点在して続いているのだ。

ここがガーデニングブームの到来と共に日本でも話題になっているイギリス・コッツウォルズ地方だ。「コッツウォルズ」とは、古い英語で「羊小屋のある丘」という意味で、以前はイギリスを代表するウール製品の産地としても名を馳《は》せていた。女性誌や旅行雑誌であまりに取り上げられたため、現在も途絶えることなく日本人観光客が押し寄せているそうだ。

ある時など、コッツウォルズ地方のバイブリーという村に用があり、一軒のB&Bに宿泊予約の電話を入れたところ、電話に出たご主人に、

「日本人の方ですね。うちを何の雑誌でお知りになったんですか？　地球の歩き方？　フィガロ？　エイビーロード？」

と、慣れた口調で雑誌名を尋ねられ、いきなりしらけてしまった。この反応からもコッツウォルズの現状は容易に想像できる。

イギリスには日本人にまだ紹介されていない、コッツウォルズを上回る素晴らしい村々はいくらでもある。あまりにも有名になり、観光地化されると、見たいものがかすんでくるから、まだしばらくは別な場所を点々と訪ね歩こうと思っている。

豊かなイギリスの田園風景。
画一化されて都市と見分けのつかない日本の田舎。

それにしても、バッキンガム宮殿やハロッズを飛び越え、イギリスの古い建物が完《かん》璧《ぺき》に近い形で保存されている、こういった村々や、その内側に繰り広げられる暮らしに日本人観光客——とりわけ人生の転換期を目前に控えた中高年層——が押し寄せるのはなぜなのか。

以前、建築好きで有名なチャールズ皇太子があるテレビ番組で、「イギリスの建物や景観がなぜ世界一だと思うのか？」という質問に、こう答えていたのを思い出す。「イギリスの建物は、木や草花と同じ、土地から生え育ち、その土地の風景に溶け込んでいる。だから世界中の人たちがイギリスを訪れ、そのあり方を見て感嘆するのです。イギリスの建物は natural growth ——あるがままに育っているからです」

チャールズ皇太子の言葉はイギリスの田舎をドライブするたびに蘇《よみがえ》ってくる。どこまでも広がる牧草地やそこで草をはむ羊たち。その敷地のかなたに建つ古い農家（ファームハウス）は、まったく違和感なく、一枚の絵画のように自然に調和しているのだ。建物と防風林と羊はまったく同じ趣きで、同じテイストで一つの景観を作り出している。

これはナショナルトラストなど環境保護団体が場合によっては村を丸ごと買い上げ、建物の保存やそのメンテナンスにいたるまで厳しい規則のもとで日々、管理している功績によるところも大きい。このような区域では、勝手に窓を拡《ひろ》げたり、許可なく屋根裏を増築するなど絶対に許されない。

人々も、そのことを承知で家を購入する。だから、たまに眺める分にはよくても、実際に暮らすとなれば、湖水地方やコッツウォルズなどは予期せぬ暮らしの手間も発生し、予想外の経費もかかる。

だが、こんな個人や国レベルの意識なくしては、古い建物をそのまま保存することは不可能である。

そしてその調和こそが私たち日本人をとりこにし、仕事や暮らしにゆとりの出てきた中高年層をイギリスに向かわせる要因になっているのだ。

ところが、心に静寂がほしい、少し休みたいと思った時、日本の田舎はどうなのだろうか。

東北から九州まで、世界文化遺産に指定された白川郷など特殊な地域を除いては、日本の田舎はどこももう東京とあまり変わらないのではないかと思える。

コッツウォルズ・カッスル・クームの街並み

築500年のコッツウォルズの家々は、車の発達と共に戦後人気が高まり、今では物件価格は40万ポンド前後（約6400万円）と高額。売り物件も少ない。森に囲まれ狭い道のみでつながっている静かで美しいコッツウォルズの家に暮らすことはイギリス人にとっても夢のまた夢なのだ。

ある時私は、富士山の麓《ふもと》に広がる山に囲まれた小さな村を訪れた。そこには「夕やけ小やけ」の童謡の世界のようないくつかの古い農家や神社があり、一目見るなり胸が高鳴った。ところが古い藁葺《わらぶ》きの農家の離れには、東京の住宅展示場で見たような総タイル貼《ば》りの洋風住宅が建っていて、屋根の上には真っ黄色の風見鶏《かざみどり》がカラカラ回っている。

その数軒隣りには、スナックの看板がつき出ていて、向かいには「セブンイレブン」があった。「夕やけ小やけ」の世界はたちまち崩れ去り、どこにでもある町がそこには広がっていることに気づいた。

このアンバランスな組み合わせが、日本の田舎のイメージなのか。都市機能は確実に日本全国津々浦々まで張り巡らされ、今や私たちはどんな僻地《へきち》に突然行けと言われても何も困ることはない。コンビニ、ATM、自動販売機などがそこら中にあるからだ。考え方によっては便利さはますます進んでいるといえる。

けれど、その便利さと引き替えに、日本の伝統的な景観は確実に崩れてしまった。私たちが「田舎らしい」と言う時、どんな風景を田舎とよぶのか今ひとつハッキリとしなくなった。

都会を脱出すれば、確実に触れることができる静かで平穏なたたずまいは幻想となってしまったのだ。

こうして、わが国の土地から生え育った建物は、そのほとんどが姿を消してしまった。日本の古い木造家屋、藁葺きの家、昔の大工が職人技を尽くして建てたそれらの建築物は、取り壊され、あるいはプレハブ住宅の陰に隠れ、もはやただの廃屋と化してしまったのだ。

その結果、やすらかな田園風景、わびしくて美しい日本の村々は当の日本人から忘れ去られ、「コッツウォルズ」のような海外の第一級の村が日本全土に名を馳せる事態になってしまったのだ。

イギリスの家並みはなぜ永遠に美しいのか

「家は城」。だからイギリス人は自分の家のある街並みにこだわる。

イギリスでは更地《さらち》に住宅を建てることは、多くの許可や申請が必要なため、あまり一般的ではない。大半の人々は日本で言うところの中古住宅を購入し、そこで暮らしている。

驚くのは、築六〇年以上の家が人気が高く、それらが今でも現役の住宅として住み続けられているという点だ。その結果、古い街並みも壊されることはない。

また、イギリス人は隣り近所の家をとても気にする。建ち並ぶ家の外壁や屋根の色の統一、デザインの統一などがそれだ。日本のように街並みの調和を考えず、「隣りの屋根はグレー、でもうちは茶色」などという現象はイギリスのみならずヨーロッパ全体でもあまり見られない。

これは近隣に対する配慮からではない。イギリス人にとって「家は城」(House is my castle) だから、どんな些細《ささい》なことでも自分の家の価値を落とすことには断固として立ち向かう姿勢をとるのだ。そして他人に対してばかりでなく、自分の守るべきルールもしっかり守る。

余談になるが「アメリカンドリーム」という言葉がある。行きたい所に行き、したいことをして、なりたい者になっていく。「アメリカンドリーム」とはまさに「自由」なのだ。

それに対して「イングリッシュドリーム」とは何か——。それは紛れもなく「家」なのだ。イギリス人にとって「家」は「物件」などではけっしてない。「家」は「城」であり、人生最大の「夢」なのだ。

イギリス人の友人とリバプールの郊外を散歩していた時のことだ。彼は三〇代の若さで家を購入しようとしていた。彼の頭の中には、いくつかの候補がすでに絞り込まれていたと思う。歩いているこのエリアの中に希望する家が何軒かあるというので、どんな家を買うつもりだろうと興味津々《きょうみしんしん》だった。

ところが、彼は家を見るどころか、通りの隅から黙って街並みを見ている。私としては、どの家を買うつもりなのか、建物そのものに興味があったため、何をしているんだろうと不思議に思った。

「ダメだ。やっぱりこの通りはイメージが違う」

彼は独り言を言って、次の通りに向かって歩き出す。次でも、また腕組みをして街並みをながめている。これを繰り返すのだ。

五回目でいささか私もくたびれはて、買おうと思っている家はこの通りのどこにあるのかと聞いた。彼は、すぐ目の前の家を指さした。たしかに「ＦＯＲ ＳＡＬＥ」(売家)の看板が出ている。狭い間口の石造りのテラスハウスだ。地下一階、一階、二階、屋根裏とある。居住中なのか、玄関回りには色とりどりの花が植え込まれていて愛らしい雰囲気だ。悪くない。

「やっぱりこれもダメだ」

また、彼はつぶやいた。

彼の考えがまったく読めない私は「どうして？」と思わず聞き返した。彼は考えつつ答えた。

いわく、価格も間取りも申し分なく、交渉もスムーズに進みそうだが、左隣りが売りに出ている家と釣り合わないほど大きな家で、まるで住宅地に建つマナーハウス

ロビン・フッズ・ベイの家々

北海に面した小漁村でも家並みは統一されている。家を建てる場合、イギリスではたいていの町で地主も一人、建設会社も一つだから、一括して建築資材を大量に購入し、同じスタイルの家ができ上がる。この町の屋根は北海をへだてたオランダから輸入されたパンタイルが使われている。

（貴族の館《やかた》）のように不自然だ。デコラティヴでけばけばしい印象も周囲から浮いている。街並みで見た場合、チグハグすぎて調和がとれない。これじゃ、いくらこの家を買って手をかけてもムダだ。魅力が引き出せない――。

これが彼の結論だった。彼は、黙々と家並みをながめて、家並みという視点から購入する物件を最終的に決めようとしていたのだ。

「自分さえよければいい」
日本では家を建てる時も周囲との調和を無視。

これがイギリス式家の選び方なのかと、とても驚いた。日本人なら隣りに高額物件が建っていれば、平凡な家でもその価値が引き上げられる気がして迷わず買った！と飛びつくことだろう。

そのことを在日イギリス人の女性に話したところ、彼女はこう言った。

「日本人は家にユニークさを求めるでしょう。隣りの家と自分の家が同じなのはとても嫌で、少しでも個性があったり、変わっていたりすることを好むわよね。要は目立ちたいのよ。だから、日本から美しい街並みが消えたんだと思うわ」

確かに私たちは、敷地という限られたスペースに建つ建物のことを「家」と呼ぶ。

そのスペースの内側が思惑通り完璧《かんぺき》に仕上がってさえいれば、それで満足なのだ。

イギリスの家は玄関回りに必ず小さくても庭があり、草木や花が植え込まれている。これは単に庭いじりが好きというだけではなく、隣家との境を、植物の緑が自然に溶かし、ブレンドし、街並みとしての統一感を出す工夫でもあるのだ。並んで建つ家々がパズルのように緑を媒介に一つのイメージに統一される。そして建物が流れるように続いていく。

だからイギリスの街並みは美しい。そして、いびつな日本の家並みはまさにその逆をいっているのではないか。

多くのイギリス人の指摘によると、家に関する日本の規則や法令はとてもフレキシブルで、建てる側に都合よくできているそうだ。

たとえば新築の場合、業者によっては設計図の青焼きを工事用と役所への申請用と二種類用意する。こんなことが暗黙の了解でまかり通っていることが、彼らには信じがたいことらしい。

イギリスでは住宅の新築工事がまれなだけに、工事が始まると近隣の住人はとても神経質になる。これまで保たれていた景観や街並みをこの工事によって変えられるのではないかと不安をかき立てられるのだ。

ただし、イギリスでは工事開始と同時にその家の設計図は誰もが役所に行けば閲覧できるシステムになっている。その結果、自分たちにとって何か不都合なことが発覚した場合は、早い段階でクレームをつけることもできる。

つまり、工事が始まった段階から家は施主《せしゅ》の手を離れ、公的な責任を負うのだ。近隣の住人にとって何一つデメリットを与えてはいけないという義務を負って、家はその土地に建ち上がってくる。

だから、イギリス人は工事用と申請用と二つの青焼き図面を作る日本人の考えがとても理解できないのだ。仮にそんなことがまかり通れば近隣の人々の不安は大きくなるばかりだし、施主は自分の好みや都合で周りとそぐわない家を完成させることもできる。

たとえば、一〇〇年前のレンガ造りのテラスハウスが続く住宅地の中に、自分はアーリーアメリカン調のコロニアルスタイルの家が好きだからと、堂々と工事を始めることもできる。そこに調和という考えが欠落してもだ。

こんな発想自体が認められるはずもないのに、日本では役所と業者と施主が三位一体で見て見ぬふりをしながら良識に目をつむってしまう。その結果、私たちは誰一人得などしていない。世界でも有数のちぐはぐな、魅力に乏しい街並みが日本に続々と登場したからだ。

時間をかけ自分の家を作り上げる姿勢

それにしても、なぜ日本人はこうも目先のことにとらわれてしまうのか。自分の家のためならなりふりかまわず、良識を踏み越えて配慮も協調もかなぐり捨て願望を達成する。これはなぜだろう。

世界で日本人のモラルは高く評価されている。高等教育を受け、礼儀正しく、思慮深い国民と思われているのだ。イギリスでも家賃を滞納せず、暮らしのマナーを守る日本人は賃貸人としてとても人気がある。

「どうせ貸すなら日本人。お金があって、間違っても備品を持ち逃げして、部屋代を踏み倒すなんてあり得ないから」

ロンドンでお世話になった不動産屋の社長は日本人をベタボメしていた。いい物件が出ると、たいてい「日本人希望」と家主からリクエストが出るらしい。「部屋を借りたい日本人を紹介してくれ」は、彼のあいさつ代わりだった。そのくらい長年にわたって日本人は海外で信頼を得てきた。

これは一部のエリート駐在員にかぎった話ではない。ある旅行会社の話によると、ホームステイも今や日本人以外は受け入れたくない家庭が世界的に増えているというのだ。日本国内では、問題の多い一〇代の学生も海外に出るとすこぶる評判がいい。他国の学生に比べてトラブルが非常に少ないというのが理由だ。

家は持った時からが始まり。イギリス人は家と関わる喜びと楽しみを知っている。

そんな日本人が、自国で暮らし、家を持つ時、たちまち何かにとりつかれてしまったように利己的になり、公的な考えが欠落するのはなぜだろう。

私はかねてから友人、知人が新しく家を購入したり、建てたりするのを見ていて、ほとんどの人が一瞬にして完結する家を求めているような気がしていた。

たとえば、家を建てる場合、着工から完成までの一定期間は何とか我慢しても、引き渡しと同時に家のことでは何一つ時間を割《さ》きたくない、わずらわされたくないという態度をとる施主《せしゅ》がとても多いという。

新築の家に招かれて遊びに行くと、追加工事で大工さんや電気屋さんが何やらゴソゴソと作業をしている場面に出くわすことがある。そうすると、そこの家の夫婦どちらかが目配せをして、こう洩《も》らすのが常だ。

「嫌になっちゃう。住み始めた後で他人に家のアチコチをさわられるのって、気分悪いわよね。全部終わったと思ったのにダラダラ作業されると、一体いつまでかかるのって言いたくなるわ」

たしかにやっと終わったところに、工事関係者がふたたびやってくるのは気が重いだろう。夫婦共に仕事をしていれば、工事の立ち会いも日程をやりくりしなければいけないから、わずらわしいとは思う。だが、たとえばそれが植木屋だったら、私たちはそんな目で見るだろうか。

玄関先に大好きな木を植えたとして、時期がくれば枝の剪定《せんてい》や消毒にやって来る植木屋の職人。彼らとは一本の木を植えた時から、それを枯らさないよう美しく育てるため、つき合わざるを得ない。専門的な技術や知識は、時の経過と共にますます必要となり、植えたからおしまいとはならない。

木は植物で、家は生きていない器だから――そんな例えはおかしいと思われるだろうか。私はむしろ、植物よりもペットよりも家は持ったら最後、どこまでも手間ひまのかかるものだと考えている。

高温多湿な日本の気候。地球温暖化でこのところの真夏の暑さは一〇年前より、二〇年前より長く、厳しくなっている。梅雨の間、雨水をかぶった建物が、真夏の炎天下、陽に焼け、冬になれば凍りつくような低温にさらされるのだ。

こんな極端な日本の気候の中では、どんなに完璧《かんぺき》に設計、施工された家でも入居後、永遠に何のトラブルも変化も起こらないはずがない。自分にプロフェッショナルな技術や知識がないとすれば、何かの事態に備えて、信頼できる出入り業者を確保することは不可欠なのではないか。

最近、東京では全面タイル貼《ば》りの家をよく見る。入居後、外壁のメンテナンスがラクだから多少費用がかかってもタイル貼りにする人が多いのだという。

けれど私の友人の一人は、デザインの上からすればまったく好みではなかったのに、別な理由からこの施工を選んだ。

「この家、街の医院ってイメージでしょ。私はもっとカントリー風に厚ぼったい塗壁にしたかったの。だけど業者の人にメンテナンスが大変ですからやめた方がいいですよって言われて、このタイル貼りをしぶしぶ選んだのよ。でもね、実際建ち上がってみたら、やっぱり冷たい感じがして好きになれないのよ」

ならば最初から塗壁を選べばよかったのにと思った。メンテナンスに一体どれだけの手間と費用がかかるのかは分からないが、カントリー風の家に住みたかった人が、メンテナンスが大変だからという理由だけでまったくちがうイメージの総タイル貼りの家を建ててしまったことが信じられなかった。

　しかもずっと手入れをしていないせいか、白いタイルは埃《ほこり》で黒ずみ、わずかだが数ヵ所は縁が欠けていた。一〇年後、二〇年後を想像すると、オーナーから愛着を持たれないこの家は、確実に輝きを失っていくのだろうと思えた。

イギリス人は家を買う時、利便性よりその家の個性や歴史を重視する。

　ところでイギリス人は幽霊（ゴースト）の話が大好きで、彼らの話を真に受けるとそこら中の建物に何かしらいわく因縁があるような気になってくる。

　イギリス人の建築家はこう語った。

「だってイギリスの家は古いだろ。築一〇〇年以上の家だったら、少なくともそこに三世代の人間が誕生したり、死んでいったりしているわけだよ。そうすると、必然的に住んでいた人々の個性もしみついていく。イギリスの家の魅力はそこなんだよ」

だから、家を見て、ポジティヴな力を感じるか、ネガティヴな影を感じるかというのも実は購入時のとても重要なポイントになる。また、その家がどれだけ興味深いデザインか、ドアや外壁にどれだけ本物の素材が使われているか、その結果、自分がその家にどれだけ魅《ひ》きつけられているのかも考える。

つまり、イギリス人にとって家の持つ個性や歴史は、自分の内面とリンクするとても重要な要素なのだ。このポイントを無視して物件を決めるなどあり得ない。

当然、前記した街並みや部屋数、家の中から見える景色なども購入を決める大切な要素にはなる。しかし、イギリス人が家を買う時に「掃除がラク」とか、「この壁は塗り替える必要がない」という理由ではけっして購入物件を選ばない。多分、こんな発想は彼らには理解できないだろう。

イギリス人は家を持ったら、別にどこかが壊れてなくても、ペンキを塗る必要がなくても、大工道具を引っ張り出してはあちこちと補修したがる。家はイギリス人が言うには、たとえばプラモデルのようなもので「趣味」なのだ。だから、家を持った時から、何かにつけて自分の家と関わっていきたいと思っている。それが喜びであり、楽しみなのだ。

イギリスでは、家は持った時からが始まり。家を持つことは、継続して関わり続けること――オン・ゴーイング・プロジェクト――と言われている。

これは家は持ったら最後、すべてがそこで終結しなければならない日本人の考えとは相反する。

たとえば、イギリスの室内ドアはこれ以上ペンキを塗ると厚い層で表面に亀裂《きれつ》が入るのではと思われるほど、繰り返しペンキが塗られている。表面がペンキでピカピカに光っている白い室内ドアを見るたびに、一体何人の人がこのドアにペンキを塗ったのだろうかと考える。築一〇〇年の住宅で五年に一回としたら二〇回はペンキを塗り替えたことになるのだ。

また外壁の石の間には目地のセメントがアチコチからはみ出ている。このセメントは時間と共に乾燥して落ちてくるので、三年に一度は新しいセメントをその上から塗り込んでいかないと石と石の間に隙間《すきま》ができてしまう。こんなレベルの作業ならたいていのイギリス人は自分たちでやってしまう。だから年月がたつにつれ、外壁は無骨な風合いになっていくのだ。

日本人なら、「室内ドアはペンキを塗る必要のない合板が安くてラクです」と言われれば合板を選ぶだろうし、補修が必要な外壁ならそのスタイルがどんなに気に入っていても、たいていの人は諦《あきら》める。「タイルの方が後々のことを考えれば絶対ラクですよ。年をとった時、メンテナンスはどうするんですか？」と工事業者に説得されるからだ。

家に関わり続け、時間をかけて自分の目指していたスタイルを作り上げようとする姿勢——オン・ゴーイング・プロジェクト。そんな考えに賛同する日本人は今、増えつつあるのに、それを実行できないでいる。

私たちは最後の一歩で何かにつまずき、握りしめていた夢を落としてしまっているのではないか。

「招きの家」とは何か

日本人は一口に洋風住宅と言い、アメリカの家もイギリスの家も欧米の住宅はすべてひとくくりに考えがちだが、これは大きな誤りだ。とくにアメリカとイギリスというこの二つの国の住まいに対する考えは天と地ほどもちがう。

アメリカのインテリア雑誌とイギリスのそれとでは、まず表紙を見比べただけで歴然としたちがいが分かる。それは見た目ばかりでなく、その根底に漂う「暮らし方」や「家族論」にまで波及しているのだ。

たとえば、雑誌で紹介されるアメリカの家々はどれもゴージャスで建物もとても大きく、計り知れないスケールが伝わってくる。

日本の住宅展示場に建つ豪華な洋風住宅は、おそらくアメリカの住宅を参考に建てられたのではないかと思われるほどステイタスシンボルを感じさせるものが多い。これはもう家というよりショールームと呼ぶ方がふさわしい。アメ車と呼ばれるリンカーンやキャデラックが車体の大きさを誇り、そんな車を所有する人の社会的地位を表しているのと同じ感覚だ。

こんな家の前に実際に立つと、私たちはきっと後ずさりしてしまうだろう。その大きさや豪華さにただ驚き、ちょっと近づいただけでも中からガードマンが飛んでくるのではないかと不安になる。気軽にその家をノックすることなどできないはずだ。

家はイギリス人にとっては「ホーム」だが、アメリカ人や日本人には「ハウス」?

ちなみにアメリカでもイギリス同様、この一〇〇年の間に持家率は急上昇した。スラム化された都会を脱出し、郊外に家を持ちたいと願うアメリカ人が急増したのだ。中産階級に属する証《あかし》として郊外に建つ立派な一戸建ては、なくてはならないシンボルとなった。

あるアメリカ人はこう言った。

「郊外に移住することは、都会で損なわれた健康や不安定な社会から逃げ切って新たな保証を得たということなんだ。安全な住宅環境、そこで手に入れた一戸建ては妻と子供を邪悪な都会から守ってくれる。郊外の住宅でハウスワイフが監督する家族生活は、夫の安定した収入と同じ『中産階級』の証なんだよ」

こういった人々をアメリカでは「ハッピーファミリー」と呼ぶ。ホワイトカラーの夫、専業主婦、数人の子供。そして映画の舞台になるような大きな郊外の一戸建て。だから、「家」はステイタスであり、幸せで安定した家族の象徴なのだ。逆に言えば、どんなにきしんだ家族でもこんな外的条件さえ満たされていれば、アメリカでは社会的に一定の評価を受けることができるのだ。これは日本の家族のあり方に似ている。

そして、付随する住宅も、その住宅に対する考え方もなぜか共通する点が多い。

それに比べてイギリスの家はどうだろう。一般的に質素で、いたってシンプルなつくりである。外に向かって目立たず、主張しない。田舎に建つコテージや農家は、基本的に箱形で小さな窓と玄関がついているだけ。住まいとして必要な最低限の機能だけが付いている。

だからこそ、前庭（フロントガーデン）に植えられた草花やその周囲にめぐらされた石垣にまず目がいき、フォーカルポイント（焦点）となって暖かな雰囲気をかもし出しているのだ。

「この家の中はどうなっているんだろう」

と、単純に中をのぞいてみたくなる。イギリスの家が「招きの家」と呼ばれている所以《ゆえん》だ。

私たちはイギリスの「注意をひかない家」の前に立った時、けっして後ずさりしたり、のけぞったりはしない。むしろレースのカーテンがかかった小さな窓からかもし出される暮らしの断片に、つい立ち止まってしまうのだ。そこには誰もが参考にできる、手に届く範囲の夢がある。そして人を隔絶するすごみもない。

もちろん貴族が暮らすマナーハウスなど、一部の特殊な階級に属するイギリス人は古い城さながらの豪華な建物に暮らしているからすべてがこの限りではないが、少なくとも普通のイギリス人にとって住まいはショールームではない。

たとえ、どれほどの客がやって来ようとも、家は家なのだ。アメリカのようにプールや広い庭を必要とする発想そのものがない。

イギリス人にとって家は時間をかけて関わり続けていく人生の一部なのだ。だから、「リビングがより広ければ訪ねて来た人が羨《うらや》ましがるだろう」とか、「プールがあった方が金持ちに見える」などという価値観で家を買ったり、飾りたてることはしないのだ。

もし、イギリス人が広大な庭を持っているとしたら、それは自然の中に生きるのが好きだからであり、そんな庭と共に生きていく自分の暮らしそのものを愛しているからだ。

彼らにとって他人の目や評価はまったく別な問題であり、こんなイギリス人がアメリカ人の住まいに対して批判的なのはよく分かる。

イギリス人はアメリカ人の豪華すぎる家を「house であって home ではない」と評する。アメリカのインテリア雑誌には時々、見事に調和していない成金趣味の家が登場し、それを見るイギリス人は呆気《あっけ》にとられる。

金にあかせて豪華なドレープのカーテンを吊《つる》し、大理石のマントルピース、暖炉の周りには世界中からかき集めたと思われる動物の剝製《はくせい》や絵画を飾りたてる。金縁付きの家具もこういった家には定番で登場する。アンティークからモダンなものまですべてを一つの部屋に並べたて、その結果、滑稽《こっけい》なインテリアにしてしまう。

日本でも名士と呼ばれる方々の家にお邪魔すると、応接間はなぜかこれと共通のイメージが漂うことが多い。

「金に物を言わせて」――この感覚があると、住まいづくりは絶対にどこかで狂う。

何一つ特別なことをしていないのに築年数のたったイギリスの古い家に今でも憧《あこが》れる日本人は多い。逆に、豪華なアメリカの家に魅かれたり、その家並みをわざわざ見に行く人は少ないのだ。

アメリカの家は、人を招いていないからだ。そこには共鳴できる暮らしの形が見えないからだ。そして、それはどこか今の日本の家の在り方と似ているように思えてならない。

ナット・イン・マイ・バックヤード考

利己的なニンビイ症候群の裏に垣間見る《かいまみ》
イギリス人の静かな暮らしへの愛着。

イギリス人は街並みを含めた住環境をとても大切に考えると書いた。それは、とりもなおさず手に入れたわが家を何よりも愛する考えからきている。

ところが、これは利己的な考えと背中合わせになっているともいえる。それを端的に表した言葉がニンビイ（NIMBY ―― NOT IN MY BACKYARD）といわれるもので、これを訳すと「うちの隣りはやめて」となる。

たとえば、家の隣りにスーパーマーケットが出店しようとしているとする。これまではバスや自動車に乗って遠くのスーパーまで買い物に行っていたので便利になって嬉《うれ》しい。けれども、静かだった住宅地に通行人は増え、買い物客が乗りつける車の騒音や排気ガスで静寂な環境は壊される。

だからスーパーはほしいけど、うちの隣りは困る。どこか他の家の隣りに出店して——。これがニンビイの考え方だ。

これ以外に、幼稚園が移転する、チャリティコンサートが開催される、病院ができる——こういった公的な要素を含んでいても、これまで保ってきた環境が少しでも壊されるとあれば、人々はニンビイをむき出しにし、断固反対する。

考えてみると、こんな利己的な考えはイギリス人に限らず誰もが基本的に持っているものだ。ただ、イギリス人の場合、他の国の人々に比べ、こと住まいに関しては妥協をしない。

それは、ミドルクラス以上のイギリス人のほとんどが自分の家を中心に生活サイクルを形成していて、それを何一つ変えられたくないという思いがとても強いからだ。

たとえば、愛犬を散歩させる近くの公園。そこまでの道のり。近所にあるなじみのパブ。毎朝、新聞を買うニューススタンド。散歩の途中、腰を下ろすお気に入りのベンチ。そこから見える風景。

こういったものは自分の家を中心に近隣に点在していて、その小さな世界《スモールワールド》の中に、彼らは至上の幸福や充足感を見出《みいだ》し、毎日を過ごしている。

そしてこんな価値観こそがイギリス人の生活の中心になっているといえる。彼らは自分の家を愛するのと同じぐらい、それに付随する日常のシーンを大切に考える。

イギリスの住宅地や公園にはたくさんのベンチがあるが、よく見ると椅子《いす》の背にはそれを寄贈した人の名前が彫ってある。これは自分がこよなく愛した場所を指定して自治体にベンチを贈呈できるシステムがイギリスにあるためだ。これを遺言に残して死んでいく人も多い。

ベンチは住宅地の歩道や街中のちょっとした広場に何気なく、けれど途絶えることなく置いてある。そこに腰を下ろしてあたりを見回すと、どこもかしこもそれなりに美しい。

それは一人の人間が日々の生活の中で見つけた風景なのだ。故人はこの丘の連なりが好きだったのだろうか。あるいは、目の前を流れる小川を泳ぐ鴨《かも》を見ていたんだろうか。贈呈されたベンチに座ると、今は亡《な》き、見ず知らずのイギリス人の感性について、つい思いを馳《は》せてしまう。

しばしばニンビイ症候群とまで批判される一見自分勝手な考えも、裏を返すと静かな暮らしをこよなく愛するイギリス人の一面なのだと思えてくる。

寄贈されたベンチ

イギリスのいたる所で見られるベンチは、自分が愛した風景を社会に還元する感性の表れだ。背の部分には故人の名前を彫ったプレートが付けられている。散歩の好きなイギリス人は歩き疲れると、ベンチに腰掛けくつろぐ。

近隣の人間関係には用心深いのに自分の敷地外のことに無関心な日本人。

ちなみに最近、高視聴率をとっているイギリスのテレビドラマは、いずれも隣り近所とのトラブルをネタにしたものが多い。主人公が自宅の窓のそばに立ち、カーテンのかげから隣りの様子をうかがうシーンなどは、どのドラマにも頻繁に出てくる。また、木の枝が境界線を越えて自分の家の庭に伸びてきて大騒ぎになる――なども定番だ。ここまで神経質にならなくてもいいのにと思えるエピソードがなぜか視聴者に受けているらしい。

日本人はイギリスをジェントルマンの国、あるいは大人の国というイメージで見ているが、隣家との些細《ささい》ないざこざやトラブルが絶えない現状もまた存在する。

それはアメリカのようにすぐに訴えて金の支払いを求めるような内容ではない。しかし、役所のこういった近隣のトラブルに関する相談窓口はいつもたて混んでいる。あるテレビ番組でイギリスの住宅問題にくわしい弁護士が出ていた。彼は隣家とのトラブル相談で仕事の大半を割《さ》かれ、私はほとんど家を持った人たちのケンカの仲裁役だとぼやいていた。そして彼は言った。

「イギリス国民の皆さんに提案があります。どうしたら気持ちよく暮らせるか。それにはあなたが隣りの家の住人にとってよい友達になることです」

こんなことを大人であるイギリス人がメディアを通じて諭されること自体驚いた。

この点日本人は、住まいや暮らしの面では何一つわずらいたくないので本音と建前を使い分けながら、近隣の住人と上手につき合おうとする。

「おはようございます」「こんばんは」から始まり、「申し訳ありません」「恐れ入ります」といった挨拶《あいさつ》の言葉が住宅地をいつも飛び交っている。

多少、木の枝が伸びてきても、干してある洗たく物が飛んできても、相手の気にさわらぬよう、とても用心深くそのことを告げる。

日本人にとっては家そのものより、近所の評判や対人関係の方が優先されるのだ。子供のいる家庭は、とくにその傾向が強いように思う。

イギリス人は「家の隣りはやめて」と利己的な一面をあらわにしながらも、こよなく愛した場所を後世に残していこうとベンチを寄贈する感性を持っている。

これは暮らしを大切にし、優先順位のもっとも高いところに「家」をかかげていればこそなのか。

日本人は近所に対し断固とした自己主張もしないかわりに、遺言を残すほどに思い入れの深い場所を家の周辺に見つけ出すこともしない。

今、日本にはゆっくりと歩きながらながめていたい風景が消えてしまったのか。それとも生活のサイクルが速すぎて、大人から子供までそんなことに関わって立ち止まる時間がないのか。

あるイギリス人はこう言った。

「今、多くの日本人を見ていると、ニンビイどころか家の隣りに何ができようが、誰も関心を持たないんじゃないかと思えるよ。敷地以外の出来事はいっさい他人事《ひとごと》なんだね」

セットバックのない国

日本人の女性と国際結婚をして、ついに東京都内に家を建てたイギリス人と久しぶりに会って話をした時のことだ。会うなり彼はとても憤慨して地元区役所の悪口を言い始めた。

その内容はこうだ。花好きな彼は入居後、建物と道路の間に猫の額ほどの前庭（フロントガーデン）を作り始めた。ところが、庭がほぼでき上がった頃、区の職員が突然やってきた。

「この土地は接道面から五センチセットバックするという条件があったはずです。だからこのスペースはうちの区役所が管理をします。近々セットバックの印を入れさせてください」

職員は美しく芝生の生えたその小さな庭を指さして言ったそうだ。

「では、ここに植えた芝生や花はどうするのですか？」

と彼が聞いたところ、

「五センチ下がって植えるべきでしたね。手前の部分は諦《あきら》めてください」

と、言ったという。彼は驚き、反論した。

「この周辺は古い家が多く、どの家もセットバックなどしていない。五センチ下がるのは隣りの家が建て直す時、いっせいにやればすむことだ。今、うちが草花をひっこ抜き、五センチ下がったところで、この狭い道がたちまち広くなるのかね」

職員はその質問には答えず、

「建て替えた家から自動的に下がるのが日本のきまりなのです」

と、はねつけたという。その後、何度もメジャーを持ってきては、同じことをクドクド言われると、頭を抱え込んでいた。


場当たり主義の日本の街づくり。

あまりにも目先のことにとらわれている。


私がイギリスの美しい街並みを賞賛すると、ほとんどのイギリス人が異口同音《いくどうおん》に自慢することがある。それは、イギリスの道路が日本に比べて広く、住宅地の区割りも整然と整備されているという点だ。

「あれだけの発達した都会なのに、東京の道路はとても狭い。中野区や杉並区には車一台通り抜けできない道がたくさんあるじゃないか。あれじゃ、地震や火事になった時、どうするんだ」

東京に暮らしていて、そう心配する外国人は実はとても多い。

イギリスでは住宅地を開発する時には、道が優先課題になる。建物は二の次だ。それは比較的新しい住宅街の中に、よく人の名をつけた通りがあることで分かる。たとえば"James' road"なる通りがあれば、それはジェームズという地主が、管轄《かんかつ》する役所に道路になる土地を献上したというしるしだ。もし、地主がその道を私道(プライベートロード)として持ち続けるなら、自分で道を作り、生涯定期的にメンテナンスをしなければならない義務を負う。だから、ほとんどの人は土地を役所に提供し、道路工事をやってもらい、そこに自分の名前を残すのだ。

戦前、東京の郊外はほとんどが畑や田んぼだった。農家の人々は広い農地を売却すると税金を払わなければいけないし、土地はご先祖様から伝えられた家宝だから惜しみつつ少しずつ、切り売りしていった。

「とりあえず今年はこの区画を」「来年は北側の一部を」

こんな風にバラバラに売って、そこに家が建ち始めると、結局、家と家の隙間《すきま》が私道になっていく。それは人一人通るのがやっとの通路のような道である。おそらく当時は、今のような車社会がやって来ることなど予想もつかなかったのだろう。いずれにせよ、最終的な構図が見えないまま、広大な農地を切り売りしていけば、いびつな住宅地ができ上がるのは当然の結果だ。

こうして東京のあちこちに迷路のように一方通行や行き止まりの道と私道の入り組んだ住宅地が誕生していった。そして二一世紀の今、車は一家に一台、もしくは二台となり、その変化に街が対応できず、「セットバック条件付き」物件が氾濫《はんらん》している。

それにしても日本では街づくりをする時、あまりにも目先のことにとらわれて動いている気がしてならない。そして、これは街づくりだけではなく、日本人の思考の基本形のような気がする。

『今そこにある危機』という映画があったが、日本は国政レベルにおいても「当面の課題」をクリアするのが最優先なのだ。最優先というからには二番目、三番目……五〇番目の課題はどうするかといえば、いつの間にか自然消滅していくのが常だ。政治家も国民も何がどうなったのかよく分からないまま、尻切《しりき》れトンボで次の緊急課題がわき起こり、それに躍起になる。

身近な例では好景気の時、日本はやたらと巨大で場違いな公共施設を作った。臨海副都心開発に始まり、東京湾横断道路にいたるまで巨額の資金を投入して、建設に次ぐ建設で景気を底上げしようとした。

しかし、もともとそれほどの需要がなかったのか、あったのにバカ高い通行料に怖《お》じ気《け》づいたのか、東京湾横断道路は本来の目的よりも「海上のパーキングエリア・海ほたる」を一大デートスポットとしてデビューさせたに過ぎなかった気がする。「海ほたる」に明け方出かけてみると、そこら中で若いカップルが抱き合ったり、しゃがみ込んで愛を語り合ったりしている。そのほとんどが日の出を見ると、もと来た道を引き返していく。

今や日本は、国をあげてレジャースポットを若者に提供しているように思えてならない。

あちこちの市町村にも場違いな施設が続々と生まれた。首都圏にあるT市にできた市民ホールは、市民や職員が使いこなせないほど広く、豪華で、何の企画も実行できず、現在はしかたなく市民のカラオケ大会の会場になっていると聞いてびっくりしたことがあった。

三〇〇年以上前にロンドンに広い道を作ったイギリス人。彼らの物事を考えるスパンはとても長い。

イギリスでは一六六六年に「グレート・ファイヤー・オブ・ロンドン」という大火災が起き、広い範囲にわたってロンドンの街が焼かれ、多数の死傷者を出した。パン屋から発生した火は、当時道がとても狭かったため消防活動が妨げられ、くい止めることができなかったのだ。

その反省からイギリス議会はロンドンを再建する時に市内の道路を広げることを決めた。道幅が広ければ火の回りも遅くなるという市民の安全を最優先に考慮した判断だった。今から三〇〇年以上前のことである。

そして、その時つくられた道路は現代のような車社会になっても、バスや乗用車が複数車線で通行できる道幅を保ち、ロンドン市内の目抜き通りとして現在でも使われ続けている。三〇〇年以上も前の人たちが現代の車社会を予想することはなかったはずだ。

それが今の交通事情に十分対応しているというのは単なる偶然なのだろうか。

このことを考える時、私には決まって頭をよぎる風景がある。ロンドン市内からヒースロー空港に向かう時、モーターウェイM4から見える風景が走りはじめて二〇分とたたないうちに劇的に変化していく。あたり一面に広がる緑あふれる公園や牧草地。さっきまで騒々しい都会にいたことを一瞬にして忘れてしまう。

「ロンドンではいとも簡単に自然に還《かえ》ることができるのよ。だって都会の周辺はグリーンベルトで囲まれているし、市内にはハイドパークやハムステッドといった広大な公園がたくさんある。東京じゃ考えられないでしょう」

私の友人はヒースローに見送ってくれるたびに、いつもこう言って自慢する。

これに関連して、あるテレビ番組を思い出した。それは、いつか日本で見たイギリス人の建築家を招いて東京の名所をリポートさせるという内容だった。その建築家はヘリコプターに乗って東京の上空を遊覧しながらこう叫んだ。

"No! It's impossible!"――不可能だ！

彼いわく、こんな建物ばかりが延々と続く、緑がまったくない街に、日本人はどうして暮らしていけるんだ――その建築家がショックを受けているのを見て、私は愕然《がくぜん》とした。

少し長くなったが、イギリス人が三〇〇年前に広い道をロンドン市内に作ったのは「公共スペースは可能な限りゆったりと確保する」というコンセプトが基本にあったからではないか。

道路、公園、広場、遊歩道……イギリス人はこういったパブリックスペースを切りつめてまで、何かを建てようとか、開発しようとはしない。だからロンドンのような都会であっても空地率は高く、街並みがゆったりと見えるのだ。

ボストンの大学で経済学を教えるアメリカ人の教授が以前こう話していたのを思い出す。

「日本人は、なぜかいつも激流の中で溺《おぼ》れかかり、藁《わら》にもすがる状態に陥っている。イギリス人なら時間をかけて泳いでも太い丸太を探し出すよ。彼らは日本人に比べて数倍も未来を考える力があるんだ。なぜかって、物事を考えるスパンがとても長いからさ」

私はセットバック問題に悩むイギリス人に、同じことがイギリスで起きたらどうするかと聞いた。彼は力を込めて言った。

“Never ever just for 5 cm!”——絶対に起きっこない！

たしかに、たかが五センチ道を拡《ひろ》げるために、建物や塀を壊すなどイギリスでは考えもつかないことだろう。家は消耗品ではないのだ。イギリス人には日本人のように家は時間がたてばどんどん壊して建て替えるという発想がない。だから、日本の慢性的な後づけ作業が理解できない。いや、当の日本人ですら、実際にはこれがどういうことなのかさっぱり分かっていないのだ。

それでも日本人はこんな魔のサークルゲームから足を洗うことができない。そして相変わらず「日本は貧相だ」「イギリスは豊かだ」と本質論をすっ飛ばし、イギリスに対する憧《あこが》れだけをつのらせていくのだ。

第２章

賢すぎる日本の家

お宅拝見番組を見たイギリス人の感想

家中が収納だらけの日本の家。「便利」と「機能的」にこだわればいいのか？

「日本人の家はクレバー（賢こ）すぎて僕にはついていけない」

建築家が建てた家をリポーターが紹介するお宅拝見番組について、イギリス人の友人が言った最初の一言がこれだった。

建築に興味があるビジネスマンの彼は、毎週放送されるこの番組を時々見るのだそうだ。

その中で彼がいちばん驚いたのは日本の家のおびただしい収納の数である。紹介される家には毎回、これでもかと言わんばかりに天井裏から床下まで、あらゆるスタイルの収納が登場する。

「流行りなのかと思うくらい階段下を収納にする家って多いよね。わざわざ引き出しを作りつけて、そこに靴下やタオルを入れているんだ」

　これはもう「お宅拝見」というより「収納拝見」番組だと、彼は皮肉を込めて言った。

　トイレの天井に戸棚、キッチンは壁面すべてが収納、リビングの作りつけベンチもフタを開ければ収納。それでも収まりきれないものは、地下室にビッシリ詰め込まれているのだと言う。

「イギリスの家では考えられないよ。棚や物入れは各部屋に一ヵ所あればそれですむんだから。日本人は家中、棚だらけにして屋根裏や地下室までを納戸《なんど》にして、今すぐ使わない物を山のように抱え込んで生活している。そのこと自体、誰もおかしいと思わない。それより、『もっと収納を増やしましょう』とメディアや建築家が呼びかければ、それをありがたいと思って飛びつくわけでしょ。絶対に変だよ」

　棚をつける場所をやっきになって設計させるより、トラック一台分くらい不要なガラクタを捨てればいいのに……この番組を見るたびに彼はそう思うそうだ。

　また、日本に長く暮らすイギリス人主婦はやはりこの番組を毎週見ているそうだが、見終わった後で複雑な気持ちになるという。

「どの家も日本の建築家が考え出したアイディアにあふれてるでしょ。本当によく考えてるなって感心するのよ。便利だし、賢いし。でもこんな家にイギリス人は住みたいと思わないでしょうね。あれは完璧《かんぺき》な建物だわ。でも『家』じゃない」

彼女が驚くのは床暖房に始まり、浴室乾燥機やビルトイン浄水器、セントラルクリーナーと、ハイテクノロジーがどの家にもひしめいていることだ。そしてリポーターも、「あっ、これ、便利ですよねー」とか、「やはり健康を考えれば必要ですよね」などと、当然のごとくこれらのハイテク什器《じゅうき》を視聴者に紹介している。使って便利なものはどんどん取り入れて当然。今どき、これくらいは常識だと言わんばかりに――。

彼女はさらに言った。

「どの家も建築家の完璧な計算のもとで建てられてるのがよく分かるの。まるで数学の世界よ。台所に立つ主婦の身長に合わせたシンクや食器の数やサイズに合わせて作られた戸棚。太陽の動きを計算して窓の位置を決めたりね。たとえば夏の朝、太陽はどの角度から昇って、昼頃はどの位置にくるとか。だから電気で開閉するトップライトを天井につけました――とかね」

考え尽くされているのに冷たく味のない家。とても便利なのは分かるけれど、日本人はどこまで家を機能的にすれば気がすむのか。そのうち日本の家はオフィスビルのようになってしまうのではないか。

日本人が憧《あこが》れる「生活感のない空間」とは人の愛着を拒否する家ではないか。

現在六〇歳の彼女は、仕事で日本にやってきたイギリス人のご主人と共に都内の3DKのマンションに暮らしている。彼女の家を訪ねてみて驚いた。ドアを開けたらそこはイギリスだったからだ。何の変哲もない日本の中古マンションが、見事に普通のイギリス住宅に塗り替えられていた。

壁面を覆《おお》い隠すように飾られた家族の写真の入った額。たっぷりギャザーの入った手作りの淡い花柄のカーテン。

廊下や床に敷きつめられた厚い絨毯《じゅうたん》。そして、イギリスから持ってきたオーク材のアンティークのコーヒーテーブルとソファ。いずれも、彼女の刺繍《ししゅう》入りのカバーがかけられていた。

その部屋が日当たりがいいかといえば、マンションの一階とあって、少々薄暗い気もする。ただ、彼女は目が悪いので昼間からリビングとキッチンで、淡いオレンジ色の電気がともるスタンドをつけて暮らしている。その暖かみのある明かりが、この部屋に漂う異国の雰囲気をよけい懐《なつ》かしいものに変えているのだ。

最初、このマンションに越して来た時には、あまりに何の個性も魅力もない部屋だったのでとてもがっかりしたと言う。個性重視のイギリス人的感覚からすれば、古い日本の木造建築に憧れが強かっただけに意気消沈したのだろう。

「でもね、ここに少なくとも五年は暮らさなきゃいけないって分かったから、私たちがイギリスに残してきた家と同じように飾りつけしていったの。家具の配置や照明、大好きなピンクを基調にしたカーテンやテーブルクロスまで、全部再現したの。そしたら、こんなに居心地のいい家（ホーム）ができたわ」

彼女は3DKのマンションに入居した時からオン・ゴーイング・プロジェクトである家づくりを開始したのだ。一時的な異国の仮住まいであっても、個性のない賃貸マンションであっても、イギリス人はやはり「家」を大切にする。

「でも、もしあのハイテクハウスをあてがわれていたなら、こんな風にはできなかったわ。この部屋にある使い込んだテーブルやソファをテレビで紹介されている家に持ち込んだとするでしょ。多分、大切に使い込んだ私たちの家具が粗大ゴミのように見えるはずよ」

日本人が誉《ほ》め言葉で使う「生活感がない」というキーワードが、最先端の日本の家のキーポイントになっているからだと彼女は話す。

「生活感がない部屋」「生活感がない空間」――無機質で非現実的な感じを、なぜ日本人が賞賛し、憧れるのかが今もって彼女には理解できない。家をそんなに進化させて何を目指すのかが。

何度も言うが、イギリスの家はいたってシンプルなつくりである。日本では当然のように使われている浴室乾燥機など付帯設備も付いていない。築年数の古いイギリスの家では、こんなハイテク設備を付けたくても簡単には付けられないといった事情もある。だからといって、それで住みにくいという評価にはならない。

イギリス人にとって住み心地がいいという感覚は、便利だとか機能的と同じではない。むしろ、家の中の不便なところには喜んで手をかける、不便だった所、傷《いた》んだ場所が自分の手で改善されていけば、家に対して愛着がさらに湧《わ》いてくるのだ。

だから、イギリス人は最新鋭の設備が備えつけられた家を単純に喜んで受け入れない。そんな家はまるで便利さで武装した機械のように感じるのだ。一瞬、興味は示すものの、

「これは本当に必要なのか」

「こんな家に住み続けることで目に見えない支障が出てくるのではないか」

と、どこかで警戒し、立ち止まって冷静に考える。

家のことを語る時、多くの日本人は、

「上を見ればきりがない」

と、言う。テレビで紹介されている便利で賢い家が見上げる対象ならば、日本人が追い求める家の理想像は、どこか危うい要素を含んでいるように思える。

日本のトイレはスペースシャトルか

低予算で自分の家を建てた時、
それまで気づかなかった日本の住宅事情がよく分かった。

イギリスの家と日本の家のあり方のちがいを知るにつれ、長年マンションに暮らし続けてきた私は、自分の理想とする「家」を一から作ってみたいという思いが高まってきた。そして長年の夢はさまざまな偶然が重なり、ついに実現した。

一九九九年の初夏から七ヵ月にわたって建てた家は、憧《あこが》れ続けたイギリスの古いコテージを形にしたものだった。しかも、この家は一九八〇万円という低予算《ローコスト》で完成した。

設計・施工《せこう》は、偶然、近所の住宅展示場で見つけたハウスメーカーに依頼した。そのあたりのいきさつは既刊の『イギリスの家を1000万円台で建てた！』（新潮

ＯＨ！文庫）にくわしく書いてあるが、実際、施主になって理想の家を建ててみると、今まで気づかなかった日本の住宅事情がさらに立体的に見えてきた。

私はデザインがイギリス風でも、工法は日本の伝統的な木造在来工法で建てたかったので、木材の商社としても実績のある三井ハウステクノを依頼先に決めた。

既存のパターンに当てはまらない、イギリスの古いコテージというスタイルや、これまでにないオリジナルな家を建てるというこちらの要望に、担当した営業マンをはじめ、工事監督や大工さんがとても柔軟な対応をしてくれたおかげで、低価格にもかかわらず想像以上の家ができ上がった。

日本のハウスメーカーで、しかも一〇〇〇万円台でこれだけのスタイルが作れる――完成後は数多くの住宅雑誌も取材に来た。

その際、毎回のように、

「一〇〇〇万円台でこのイギリス風の家を建てるのに、どの部分の予算を削ったのか」

と、聞かれた。それに対して、

「こだわりたいデザインにはある程度お金をかけ、なくても生活できる設備はすべて削った」

と、答えてきた。

この徹底した考えを貫けば、ある程度予算は守れるのではないか。

工事の中盤でキッチンから便器までを最終的に決める「設備打ち合わせ」というものがある。その時のことは今でも忘れられない。同席した工事担当者や営業マンが驚くほど、私はすべてを簡単に決めてしまったからだ。

洗面台からユニットバスまでどんなカタログを見せられても、

「この中で一番安いものはどれですか？」

と、営業マンにたずね、迷わず一番安い、簡素なものを指定していった。

一階と二階のトイレの便器を選ぶ時も同じだった。

周囲からは、齢《とし》をとってトイレに行くたびにお尻《しり》が冷えると苦労するから温水洗浄便座はつけた方がいいと言われていた。そう言われると齢をとったり、病気になった時、温水の出ない便座の冷たいトイレは大きな障害になるのだろうかと不安になった。

「今や温水洗浄便座は標準ですよ」

と、営業マンにも言われ、一瞬、気持ちは揺れたがそれでもいちばん安いふつうの便座を選んだ。

温水便座とふつうの便座。その差は一台につき数万円だったと思う。全体の工事費からすれば、たいした金額ではない。無理すれば何とか出せないこともない。けれど、私はその時も今でも本気で温水洗浄便座を必要だとか欲しいとは思っていなかった。だから私は、なくてすむものはあえて買わない考えをここでも通した。

その結果、今でも何一つ不都合なことはない。冬にはきれいに洗った便座カバーをつけていれば冷たいと感じることもなく快適に暮らせる。

毎朝、狭いトイレでアポロ11号の飛行士になった気分で用を足す日本人。

話を本題にもどす。イギリス人が日本の家を見て、あまりの便利さと賢さに舌を巻くと書いたが、その最たるものがトイレにあると多くのイギリス人は口を揃《そろ》える。

数年前、「ジャパン・タイムズ」に「偉大なる日本の発見」と題してトイレに関する記事が掲載されていた。

そこには、アメリカでもドイツでも一般には普及していない温水便座が、日本では大ウケしている。ついに日本はハイテクノロジーをあの狭いトイレにまで持ち込んだのだ！　というような内容が驚きと賞賛を込めて書かれていた。

友人を訪ねて日本に遊びに来たイギリス人は用を足しにトイレに行ったところ、便座に付いたたくさんのボタンにどうやって水を流していいのか分からず、手当たり次第にそれを押したそうだ。

「そしたら、いきなりお湯が噴射されるわ、風は吹きつけるわで一体何が起きたのか、飛び上がったよ。日本人はあの狭いトイレで毎朝アポロ11号の飛行士になった気分で用を足すのか？　まったく信じられないよ。あれはトイレじゃなく、スペースシャトルだ」

彼はボタン一つでハイテクな機械が作動する日本のトイレに心底驚いていた。

ところでこの温水洗浄便座、ファミコンや日本食といったサブカルチャーの波に乗って世界中に普及していたのかと思っていたが、そうではないようだ。アメリカではメーカーが販売しようとしたが、なかなか売れなかったらしい。アメリカに暮らす友人がそう言っていた。

欧米人には用を足したのと同じ場所でお尻を洗う感覚が理解できないというのだ。トイレとビデが別々にあるなら、それはおしゃれな生活習慣で受け入れるが、同じ場所だと生理的に嫌悪感《けんおかん》を覚える――と。

一般大衆の暮らしの中で温水便座が定着しているのは先進国では日本だけなのだ。

イギリスのトイレは通常風呂場《ふろば》と同じ部屋にあり、バスルームと呼ばれている。地方に行くと、家のサイズに合わせバスルームも一〇畳以上もあるような広いものが多い。

そこには厚手の絨毯《じゅうたん》が敷いてあり、部屋の隅には椅子《いす》が置かれ、その上に雑誌が並べてある。壁には、リビングや寝室同様、絵が飾ってあり、窓にはきれいな色のカーテンがかけられてある。

まるで、子供部屋のような暖かい心地よさが漂っているのだ。

イギリスに行き始めた頃は、地方のB&Bに泊まるたびに、コーディネイトされた楽しいバスルームを見るのが楽しみだった。あの頃はとても気を遣ってお風呂に入ったことを覚えている。そこには人形やガラスに入ったポプリなど、とても美しい置物が並べられているので、お湯がとばないようにこぼれないようにと、ヒヤヒヤしながらシャワーを浴びた。

最初はトイレも風呂もあまりに広すぎて落ち着かなかったが、慣れてくるとバスルームにいることがとても幸せで心底くつろげるようになった。

いつかイギリス人の建築家がこう言っていた。

「なぜイギリスのバスルームが広くて、インテリアに気を遣っているかって？　それは来客の多いイギリス人の家は、ゲストもバスルームを使うからさ。風呂とトイレ、両方が一つの部屋にあるから、イギリスでバスルームはパブリックスペースの一つなんだよ。日本ではゲストがトイレを借りても、風呂場をのぞく設定なんてあり得ないでしょ。日本人にとって風呂場は身内だけのものだから、必要以上に風呂場をきれいにしたり、飾り立てる必要もないのさ」

たしかにトイレも部屋の一つと見立てれば、イギリスでは便器やバスタブもドアや照明同様にシンプルで、オーソドックスなままがいいのだろう。

ちなみにトイレに関してイギリス人が期待している発明品がある。英テクノロジー会社「シーメンス」が二〇年以内に実現してほしい発明をイギリス人一〇〇人にアンケートをとった。その結果、多くの人が「掃除不要のトイレ」と答えたと新聞で報じられていた。

パブリックスペースであるバスルームはつねに清潔に保つべき場所なのか。それだけに掃除も大変なのだろうが、イギリスのトイレはどの国のトイレより心休まるスペースになっている。

ところでイギリスの友人宅を滞在中、日本の小学生がゆっくりトイレに行く時間もないまま毎朝登校するとテレビで報じられた。学校でトイレに行きたくなるが、「はずかしい」「ばかにされる」「落ち着かない」などの理由で、そこでも用を足せない。

イギリスの家のバスルーム

厚い絨毯、ドレッサー、椅子と、イギリスのバスルームは居心地のいい部屋でもある。セントラルヒーティングでバスルームの中は冬も暖かく、日本よりぬるめの風呂でも十分心地よく、浴室内に蒸気がこもり、家具や内装が傷むことも少ない。

今や日本では大勢の子供が便秘になっているという。

ハイテク装置に、独房のような日本のトイレを思い返しながら、目の前のイギリスのバスルームをながめていると、バスタブ横のスツールに友人が置き忘れたコーヒーカップがあることに気がついた。その横に読みかけの本も置いてあった。

イギリス人のように時には怠惰にダラダラとくつろげるバスルームがあれば、子供は便秘になっただろうかと考えた。トイレにも風呂場にも時間を気にせず好きなだけいられたなら――と。

温水洗浄便座などハイテクな設備はとりたてて今すぐ必要はないものだが、人はそれを一度手にしたら二度と手放せなくなる。そして、そこから派生する暮らしのリズムもある。それはサイクルの速い、とても合理的な理詰めの世界だ。そして、いったんその波に乗ったなら、引き返すのは難しい。だから、このような設備を手に入れるか入れないかは私たちの生活にとって大きな分かれ目なのだ。

温水便座は二〇〇四年の現在もイギリスでは普及していない。子供部屋のようなバスルームは相変わらず健在なのだ。

食器があふれる理由

家づくりの主導権を握る日本の妻たちが
とことんこだわるシステムキッチンの問題点。

家を新築する際に日本ではほとんどの場合、妻が主導権を握るそうだ。夫はただそれにつき従い、最初は設計図を見て、いろいろと意見を言うものの、途中から家づくりを妻に任せ、外野に外れていき、やがて完全な傍観者の立場をとる。そしてほぼ家が完成しかかった頃に、

「リビングはもっと広くしてほしかった」

「寝室に自分の机を置きたかった」

と、最後の主張を試みる。しかし、すべては後の祭りである。

そうして完成した家を前に、

「この家はほとんどが妻の好みで建てられたようなものだ。俺の夢は叶《かな》えられなかった」

と、自分はただ金を調達したにすぎないことを周囲にぼやく。

そんな男性の話を聞くにつけ、それならなぜ途中で家づくりから離れていったのだろうと思うけれど、「仕事が忙しかったから」と答えることが分かっているので黙っている。

一任された妻たちは、工事関係者とやり取りはするものの、自分のこだわりの部分以外はほとんど業者に「お任せ」するのが通例である。そして、こだわりの部分にはとことん頭をひねり口を出すのだが、その最たるものは女性の場合、やはりキッチンである。

私が以前住んでいた都内の中古のマンションは、入居して七年目で大規模な全面リフォームをかけた。バスルームからキッチンにいたるまで、イギリスのごく一般的な住まいを再現したかったので今の家同様に細部にまでこだわった。

その頃はなぜかイギリス風キッチンならカントリータッチの木製輸入キッチンがベストだと思っていたので、方々からカタログを取り寄せた。ところが、あまりのバカ高さに生まれてはじめてキッチンの現実を知ったのだ。

システムキッチンと名のつくものは、一〇〇万円近く出しても、民間アパートのキッチンを少々グレードアップした程度のものしか買えない。海外のインテリア雑誌に出てくるようなキッチンは二〇〇万〜三〇〇万という値段で、しかもとても大きく、たかだか六畳の台所に取り付けられるようなサイズではないのだ。

突き詰めれば、システムキッチンとは、流しとコンロと収納棚の組み合わせである。コンロなど単体で買えば五万円前後で三ツ口でグリル付きのものが手に入るのに、なぜセットになっただけで価格がつり上がるのか。

あまりにバカバカしいので、その時は工事を頼んだリフォーム会社のショールームにサンプルで展示してあった小さな木製のシステムキッチンを現品でいいからと、交渉して安価で譲ってもらった。

ところが、アメリカ製のそのキッチン、デザインや質感はとても雰囲気がよかったのに、使いはじめて半年で取っ手が取れたり、扉が閉まらなくなってとても困った。外国製――とりわけアメリカ製のキッチンにはこういったトラブルが多いのだと他のメーカーの人たちに聞いて、また一つ勉強した。

そんな経験から今回建てた家には、依頼したハウスメーカーが日本のキッチンメーカーと共同で開発した数十万円の標準タイプのキッチンを入れた。使いはじめて半年たつがフッ素コートトッププレート加工のコンロは布巾《ふきん》で拭《ふ》くと汚れもすぐにとれるし、引き出しのすべりもとてもいい。

とにかくキッチンは毎日使うだけに、デザインよりも機能性だとつくづく思い知った。

いたってシンプルなイギリスのキッチン。
調理道具から食器まで山のようにあふれる日本の台所。

だから、こだわり続けて夢のキッチンを手に入れた人の雑誌で紹介される談話や写真は、どこか冷めた目で見てしまう。あれだけのものを考案し作り出すのは大変な手間とお金がかかるのに、そうまでしてキッチンの仕掛けにこだわるのはどうしてかと思ってしまうのだ。

たとえば足元の引き出しにキャスターが付いていて、それを引っ張り出すとゴミ箱が出てきたり、食器棚がスライド式に下りてきたり、どこもかしこも仕掛けだらけだ。

そんなキッチンを見るたびに、過去の経験から「ネジが外れたらどうするんだろう」「掃除をする時、大変なのではないか」と疑ってかかるのだ。こんな仕掛けの多いキッチンはイギリスでは珍しい。イギリスのキッチンはいたってシンプルなのだ。

日本ではキッチンも、とても収納にこだわっている。イギリス人から見るとこだわりすぎるきらいもある。鍋《なべ》から食器まですべてを棚の中にしまい込み、表面的には「スッキリ、シンプルに、生活感のない」キッチンが好まれる傾向にあるのだ。

「日本人はすべてコンロの上で料理を作るでしょ。だから、どんなに清潔にしてても油はねやふきこぼれでコンロの周りは汚くなる。その上、高温多湿な気候のせいで、夏場はキッチンが不潔になりやすい。だから、すべてをしまい込んでしまうのだと思うわ」

日本に暮らすイギリス人の主婦は、そんな日本のキッチンを二通りに分類できると言っていた。

一つは使われた形跡もないほど整然と片づけられているキッチン。もう一つは、食品から鍋まで収拾がつかないほど散らかっているワークショップのようなキッチン。つまり物が片づいているか、片づいていないか。そんな在り方は夢に欠けると言っていた。

イギリスでも家づくりの中でキッチンにこだわる女性はとても多い。ガレージが男の隠れ家なら、キッチンは女の部屋である。

だからフルーツを大皿に飾りつけたり、大好きな雑貨や置物を調理台やテーブルの上に飾って、夢の部屋を作り出す。それでもいたってスッキリ見えるのは、イギリス人が日本人のように調理道具から食器までを山のように持ち続ける習慣がないからだという。

食器を例にとっても、イギリスの家庭ではディナーセットと呼ばれる食器をセットで購入する。

ディナープレート、スープボールからコーヒーカップ&ソーサーにいたるまで約二〇アイテムの食器を六人分ずつ揃《そろ》えておくのだ。シンプルなデザインのものは家庭用、豪華なデザインのものは来客用、そして、クリスマスなど特別な時に使う高級なもの。このディナーセットを通常三パターン揃えておくと、それですべては事足りるのだ。

地震のないイギリスでは、この中からとくに気に入ったデザインの食器をカップボードに吊《つ》るしたり、飾り棚に並べたりして見て楽しむ。そして、これ以外のセットは食器棚に収納する。

だから日本のように、あふれんばかりの和・洋・中とすべてのスタイルの食器を抱え、どうやって収納しようかと頭を悩ますこともない。

あるイギリス人は日本のキッチンを見て愕然《がくぜん》としたという。たくさんの引き出しのついたシステムキッチン、天袋、床下収納、食器棚。それでも調理台の上に所狭しと置かれた包丁研ぎやミキサー、コーヒーメーカー。もはや、そこには調理するスペースもなかった。彼はその物の多さにこう言ったそうだ。

“Many more thing!”——日本人はすべてを持とうとする。食器から服まで、すでに必要なものは持っているのに、さらに持とうとする。これは習性を通り越した心の病いではないか——と。

イギリスのキッチンはセミパブリック

コンロを使う日本に比べ、イギリスの家庭ではどこもオーブンで調理をするのが一般的だ。だから調理器具も数多くはいらない。シチュー、キャセロール、ローストビーフ、パイなどは、下ごしらえをした素材を鍋《なべ》やプレートに入れてオーブンにかければ自動的に出来上がる。

だからふだんの食事作りは包丁に耐熱の鍋やボウルさえあれば、それで事足りる。

また、イギリスでは今、働く女性が圧倒的に増え、専業主婦はとても少ない。五〇代までの女性の一〇人に七人までが、パートもふくめて何らかの仕事をしている。

そういう女性は、朝から夕食の下ごしらえをした鍋をオーブンに入れ、タイマーをセットして仕事に出かける。夕方帰宅した頃にはオーブンの中で温かい料理が出来上がっているので、疲れた身体《からだ》で夕食を作る必要がない。一枚の皿に盛られた単純な料理が多いのはいなめないが、これはこれでリズムのある快適な暮らし方だと思う。

日本では平日の夕方、仕事帰りに子供を連れてスーパーで買い物をする母親を見るが、その顔は消耗しきっている。疲れているのか、大声で子供を叱《しか》り飛ばし、あるいは口封じのように子供にお菓子をつかませている。これでは母親も子供も生活に疲れ果てて夜のわずかな時間ですら会話さえできないのではないかと思える。

パソコンやホームビデオを買い揃《そろ》える金があるのなら、若い共働きの家こそ、もっと快適に生活できるよう考えるべきではないか。


イギリスの暮らしの最優先順位は「パートナーとの交流」。

だから日本ほど「食事」に手間をかけない。


これに関連して、イギリスのキッチンにある冷蔵庫は日本のものよりはるかに小さいことに気づく。町の電気店や郊外のホームセンターでは、意外にも小ぶりの冷蔵庫がいちばん売れているのだ。

これは、イギリスの家庭では冷蔵庫とは別に大きな冷凍庫を常備していることによる。この冷凍庫は通常キッチンではなく家の外のガレージなどに置いてあり、まとめ買いした冷凍食品がつねにストックしてある。食品は大量に買った方が便利で経済的だからだ。

たとえばラム（小羊）は丸ごと一匹買い、それを解体してもらった方が、スーパーで小間切れにパックしてあるものを買うのよりはるかに安い。これを冷凍庫に保存しておいてローストラム、ラムチョップなど料理に合わせて胸肉や脚を小出しに使っていく。

イギリス料理に欠かせないスライスしたじゃがいもをフライにしたチップスも、大袋に入った冷凍物の方が、じゃがいもを買ってきて調理するよりはるかに安くできる。オーブンで加熱すれば、すぐ食卓に出せるのでとても便利だ。

今やイギリスの冷凍食品（フローズングッズ）の需要はすさまじく、冷凍食品専門のスーパーも増えている。「ICE LAND」というスーパーをあちこちで見かけ、きれいなネーミングの店だと思っていたら、これも冷凍食品専門のスーパーだった。世界中で大ヒットしたアニメ「スノーマン」でも、スノーマンがガレージにある冷凍庫に入るシーンが出てくる。

こうしてイギリスでは各家庭の冷凍庫はなくてはならない必需品になった。冷凍庫が故障した時のためにフリーザー・インシュルンス（冷凍庫保険）まで登場し、それに加入する人も増えているという。

こうして冷凍技術がすすんだイギリスでは、冷凍食品とオーブンで無敵のワーキングマザーが続々と社会進出をなしとげている。

ところが、その陰では新鮮な食材がほとんど使われなくなったという深刻な問題も出てきている。生野菜や血のしたたる肉はキッチンから消え、いつもコチコチに凍った食材を加熱し食事を作ることが体にいいのかという議論だ。

ウィークデーは冷凍のパイをオーブンで温め、それに冷凍野菜を温めたものをつけ合わせるという冷凍づくしの家庭も多い。

あるイギリス人はイギリスの台所事情はこの四〇年間で大きく変わったと言っていた。

「僕が子供の頃はどの家庭にも冷蔵庫はなかった。気温の低いイギリスでは、それでやっていけたんだ。新鮮な卵やパンは毎朝牛乳配達の人が届けてくれたし、野菜や肉は母親が毎日マーケットに買いに行っていた。冷蔵庫がないから毎日、新鮮な食品を買いに行くしかない。暑い日はバスタブに水を張って牛乳をビンごと冷やしながら、その日のうちには全部飲み切ってたよ」

冷蔵庫のない生活は、彼が一二歳になるまで続いたそうだ。どの家庭でも母親は毎日の買い物と料理に時間を割《さ》かれ、外に働きに出ることなどできなかったそうだ。私と彼は同世代だから、この話を聞いた時にはとても信じられなかった。

ところが、冷蔵庫が普及し始めて、イギリスではすべての社会システムが変わっていった。

冷蔵することで食品のまとめ買いが可能になった母親たちは、やがて仕事を見つけ働きに出るようになった。これまでは毎日だった買い物が週末、大型スーパーでまとめ買いするようになり、やがて長期保存できる冷凍食品へ人気が集中していったのだ。

その結果、新鮮な野菜や肉を料理しない家庭が増えたのだ。日本人の感覚では受け入れられないイージーさがある。食卓を大切にしないことは、家族を大切にしないことにつながるからだ。けれども、そう言い切れるのだろうか。

あるイギリス人主婦が友人を訪ねて来日した時、彼女は日本の主婦の日常にとても驚いたという。

「日本の母親はイギリスの母親よりきちんと料理を作ってると思う。だから、キッチンはいつも雑然としている。それだけたくさんの材料を使ってたくさんの料理を作ってるってことよね。でも、あそこまでする必要があるのかしら……」

彼女は、日本の女性が毎日、長時間キッチンに立って料理に時間を費やすことに疑問を持ったと言う。時間をかけ、品数を増やし、たくさん料理を作る。けれども家でもレストランでも料理を食べ残す人はとても多い。彼女にかぎらず、日本人がふだん作る料理のバラエティと品数の多さを見て驚くイギリス人はとても多いのだ。

この感覚が暮らしの中で優先順位のトップが「食事」ではないイギリス人には理解できないのだ。日本では「食事」は「教育」や「健康」と並ぶとても大切な価値観だ。だから毎日、料理を作り続ける。

ところがイギリスはちがう。イギリス人の家庭における優先順位のトップは「パートナーとの交流」である。

だから、イギリスの働く女性はウィークデーにはインスタント食品や冷凍食品で手短かに夕食をすませたあと、夫婦でゆっくり話をしたり、時には映画やパーティーに出かけたりする。その代わり、週末にはまとめてパンやお菓子を焼いたり、ローストビーフなど手をかけた料理を作り、家族みんなで食べる。

だからキッチンは日本ほど汚れないし、道具が増えないとも言える。


キッチンに縛られ息抜きのできない日本の主婦。

「ダメ母」「手抜き主婦」でどこが悪い。


ところでイギリスの女性は家の中でくつろぐ時、日本の女性のようにTシャツにトレーニングパンツという恰好《かっこう》はしない。イギリスの夫婦は、私から見ると家の中でも三六五日よそいきの服を着ているように見える。また、男性もランニングにパンツ一枚などという服装はまれだ。家の中でも身だしなみを整えて、男と女として向き合っている。それは、家が社交の舞台になっていることとも関係している。

イギリスの家ではゲストを招いてディナーパーティーを楽しむ。その際、仕事がらみのオフィシャルなケースは別にしても、ホステスが料理を客にふるまう代わりに、招かれたゲストは食事の後で「食器を洗いましょうか」と打診するのが常識である。だから仕事を持った女性でも、何もかも一人でしょい込むことなく人を招くことができる。

日本の場合、キッチンはあくまで家族だけのものだが、イギリスではゲストも入ってきてディナーの後食器を洗ったり、そこでおしゃべりをしたりする。だから、キッチンはリビングやバスルームと同様、どこの家でも個性的に演出されている。キッチンもまたパブリックスペースだからだ。

ちなみにイギリスではバーベキュースタイルのパーティーも人気だ。イギリス映画『秘密と嘘《うそ》』の中でも新築した家のお披露目パーティーはバックヤード（裏庭）でバーベキューを楽しんでいた。その際、肉を焼くなど料理の中心的役割は男性が、片づけは女性が担当することが多い。家族、ゲスト入り乱れての作業となる。

だから「健康のために」と何品も食事を作り、その後片づけに追われ、とびはねた油を神経質に掃除する日本の女性を見るにつけ、これ以外にも道はあるのにと思う。仕事、家事、勉強、人付き合い、何事も頑張らないと成り立たない日本はやはりおかしい。すべて息切れするまで頑張り、手を抜けば「ダメ母」「手抜き主婦」と罵《のの》しられる。

イギリスでは家にもどると誰もが頑張ることをやめる。仕事を持った忙しい母親は家の中でも優雅におしゃれをして、手抜きのワンプレートディッシュをワインと共に楽しむ。「一日五〇品目以上の食材」だの「カルシウムとミネラルは絶対に欠かさず」などのプレッシャーにがんじがらめになっていたなら、食事を用意するたびに女性は罪悪感を感じ、それがまたストレスを生む。どこかで自分を責め、「私はダメな母親だ」「手抜き主婦だ」と自己嫌悪《けんお》におちいり、夫や子供から「これまずい」と言われれば、ますます暗く意気消沈するのではないか。

だいいち、年がら年中、夫も妻も子供もそんなに頑張る必要があるのか。そんな風に気を張って完璧《かんぺき》にやり遂げていかなければ評価が得られない家庭や社会であるとすれば、それこそが問題なのではないか。適度な息抜きや怠惰は生活の中で重要だし、それが許されるから「家」はやすらぎであり、よりどころなのに。

ディナーパーティー同様、イギリスでは妻が料理をしたら夫が皿を洗うのがふつうだ。

そして、夫が食事の後片づけをする姿を眺めながら、妻はゆったりとキッチンテーブルでくつろぎ、子供と話し、休息をとる。

イギリスでは結婚している女性に魅力的な人が多い。

よくよく見ていくと、それは「家」というよりキッチンから発生する諸事情と密接に結びついている気がする。

ドアフォンのないイギリスの家

イギリスの玄関ドアは内側に開き、日本は外側に開く。この意味を考えると面白いことに気づく。

イギリスに行くたびに住宅地を重い脚を引きずり、ぐるぐる歩き回ることがある。散歩ではない。宿までの道が分からなくなった時だ。

地方の小さな町や村でB&Bは駅や町の中心（town center）から少し離れた住宅街にあることが多いので、住所だけを頼りに歩き回るはめになるのだ。いよいよ分からなくなると宿までの行き方を教えてもらうため、ためらいながらもその辺の民家に入っていく。フロントガーデンを通り抜け、玄関ドアの横にあるベルを押し、緊張して人が出てくるのを待つ。

すると、ほとんどの場合、ドアを開け中から住人が姿を現す。道に迷ったと言うと突然の来訪にもかかわらず、くどいほど丁寧にその行き方を説明してくれる。まれに「分かりません。お隣りに聞いて」と、素気《そつけ》なくされることもあるが、ドア越しに返答された記憶はロンドン、マンチェスターなど都市部を除いては一度もない。

イギリスではドアフォンがないため、必ず生身の人間が訪問客と面と向かって対話することになるのだ。

長く日本に暮らすイギリス人にこの話をしたところ、彼はとても興味深いことを教えてくれた。

「イギリスの玄関ドアは内側に開き、日本のは外に向かって開く。これが一体どういうことなのか考えてみると面白いことに気づいたんだ」

彼いわく、イギリスのように内側にドアを引くということは、玄関先に立った人に対してウェルカムの姿勢を示しているという。

「ようこそお越しくださいました。どうぞ中にお入りください」

一介のセールスマンに対してですら、そんな心を感じさせるほど、その行為は人を受け入れる態度にあふれている。ところが、日本のように外側にドアが開けば、開けられたドアが訪問客にぶつかることもある。

「何の用ですか？　こっちは忙しいんですよ。玄関先に立ってないでさっさと用件を言ってください」

それはもう、ドアをタテに訪ねてきた人を追い払う行為にすら見えると、彼は言う。

この玄関ドアの開き方はイギリスにドアフォンがないことと関係しているのではないか。

日本で一戸建てにドアフォンは常識である。しかも玄関ドアの横にではなく、敷地の入口に建つ門柱についている場合がほとんどだ。これは日本人の自分のテリトリーの中に他人を簡単には立ち入らせたくないという心理からくるのではないか。

ドアフォンなしでは暮らせない日本人。「ドアを閉めたまま話すなんてできない」と言うイギリスの老婦人。

日本はどんなに狭い敷地の家でも、建物の周りをブロック塀やフェンスで囲ってしまう。

イギリスでは、玄関周辺のフロントガーデンというのは、ドアまで歩いて来る来訪者のための心理的なパブリックスペースになっている。プライベートなのはバックヤードと呼ばれる裏庭の部分だ。ここへは許可なく立ち入ってはいけない。

しかし玄関周辺は、人とコミュニケーションをとるための重要な入口なのだ。そこすら覆《おお》ったり、困ったりしてしまったら、人とどうやって出会い、話をするのか。あるいは自分が知らない未知の人をすべて排除するつもりなのか。イギリス人はそこが分からない。

在日外国人に限らず、日本人でさえ、日本の、とくに都市部の住宅地から人情を感じる人は少ない。同じ町内に暮らしていても、回覧板を回す時、ドアフォンを押すとたいていは不快な声で「はい」と言われる。訪問者が近隣の者だと分かると、声のトーンはいきなり上がり、うって変わったように親切な対応になる。

ところが、同じ日本でも地方の農村部に行ってみると、家の周辺はだだっ広く、囲いがない。玄関はいまだに引き戸で「ごめんください」と言えば、中から必ず人が出てくる。

戦後しばらくは日本人もドアフォンなしで暮らしていたのに、テクノロジーが世の中のしくみを変えたと説明する人もいる。その結果、日本人はつねに他人を警戒し、ますます家族や親しい人とだけしかつき合わなくなったのではないか。そればかりか若い世代の中には、自分の姿を見られ、声をかけられることすら苦痛だと思う人も急激に増えている。

これに関連して今、車にフィルムを貼《は》る日本人がとても多い。イギリスでも一〇代、二〇代の若者の中には、中の見えない真っ黒な窓の車に乗る人も見かけるが、それでも日本の若者の比ではない。まだまだ少数派なのだ。

自分が車を運転している姿すら他人には見せない。見られたくない。そんな発想は家を囲い、テレビモニター付きドアフォンまで開発した心理と酷似している。

あるイギリス人が一人暮らしする母親のため、ロンドンの実家にドアフォンを取り付けたところ、セールスマンから郵便配達人までちょっとした騒ぎになったそうだ。どこからともなく聞こえる住人の声に、それが一体どこから聞こえるんだろうと面白がってドアフォンを押す子供、それをながめる大人で一時は人垣ができたと言う。

興味を持って集まった人たちに彼はドアフォンの原理や使い方を説明したそうだが、「うちにも付けたい」と言った人はいなかったそうだ。

その中にいた近所の老婦人がこう言った。

「相手がすぐそこに来てるのにドアを閉めたまま話をするなんて、私には気持ち悪くてできないわ」

知らない人と話すことが不快な日本人は、たしかに暮らしのすべてに囲いが必要なのだ。こんな日本にイギリス人が来たら、「気持ち悪い」「理解できない」光景ばかりだろうと思う。

第3章

家具とインテリアの向こうに見えるもの

家具への愛着と粗大ゴミの関係

イギリス人にとって家具は家族同様。
粗大ゴミ扱いする日本人がとても信じられない。

日本が貿易黒字で円高だった頃、私は在日外国人向け雑誌の編集長を務めていた。円高で彼らの暮らしは切迫していたが、日本に暮らす外国人が楽しんでいることがあった。それは町かどに捨てられた「粗大ゴミ拾い」だった。

とくに世田谷《せたがや》区や目黒区、大田区など成城学園や洗足、田園調布といった高級住宅地を抱えた区内では、その気になって街を歩き回ると、秋葉原で売っているようなまだ十分使えるテレビや、どこも傷《いた》んでいない椅子《いす》やテーブルが捨ててあり、日本は何とありがたい国だろうと彼らは喜んでいた。

あれから一〇年以上たった今でも、この認識は変わっていない。彼らのクチコミ情

報では、

「日本で生活道具は買うな。街を歩けば、物はいくらでも落ちているから」

と、言われている。そして今でも粗大ゴミを活用する外国人はとても多いのだ。

イギリスでこんな話をしたところ、日本に来たことのないイギリス人たちはこの話を信じてはくれなかった。まだ使える家具や生活道具をどんどん捨てるということが、古い物を大切にするイギリス人からすれば、簡単には理解できないのだろう。とくに家具に対する粗雑な態度には嫌悪感《けんおかん》を持つ人もいるほどだ。

「家」はイングリッシュドリームだと書いたが、家に付随した家具はイギリス人にとってとてもセンチメンタルな深い意味がある。それは日本人の感性とは対極のものだ。

知人のイギリス人が一〇年前、ロンドンでタウンハウスを購入した。その時、リビングに置かれていたソファセットがあまりにもその家の雰囲気とマッチしていたので、売り主に追加で金を払うからこの家具を譲ってほしいと交渉した。

ところが売り主はそれに大変驚き、憤慨した。

「あなたは、『お宅の娘さんがかわいいから金を払うので売ってください』と頼みますか？　このソファセットは私たち家族の思い出が詰まっている。売るなんてことは考えられない」

そうハッキリ断られたそうだ。

その当時二〇代後半だった彼は、同じイギリス人でありながら、最初はこの売り主の態度にとても腹を立てたそうだ。

だが、その後も同じような申し出をあちこちの家でするたびに、不快な顔をされ断られ続け、おかしいのは自分の方かと思い始めたと言う。自分が心から大切に思える家具を持っていないから、他人の大切にする家具が素晴らしく見えたのかもしれない――と。

家はオン・ゴーイング・プロジェクトだと考えるイギリス人は、家具を買う時はとても慎重になる。自分の目指すスタイルが明確なため、デパートからアンティークショップまで、じっくり見て回り、本当に納得できる物を一点ずつ買い足していく。セールだから、通販で安いからと衝動的に家具を買うことは金を捨てるようなもの。それより、慎重に生涯の一点を選び、これまで買い揃《そろ》えた家具と共に使い続ける。

長い年月をかけて気に入った家具を買い揃えるイギリス人。

「安いから」「お金があるから」と衝動買いをする日本人。

日本では家を新築するとそれに合わせて、これまで使っていた家具はほとんど捨て、そっくり新しい家具に買い替える。テーブル、食器棚、ベッド、ソファなどが引っ越しと同時にいっせいに新しくなる。

これに関連したエピソードがある。私が家を建てた時、最初に数社から工事の見積もりを取り寄せた。その説明の中で、ほとんどの業者の営業マンは予備費を用意しておかないと資金がショートすると言った。

それは何のための予備費かとたずねると、

「家具の買い替えもかなりかかるでしょう。どこのご家庭でも新築に合わせて家具を買い替えされますよ」

と言われ、これはもう日本の常識なのだと知った。

私の周りでも、マイホームを手に入れると、ほとんどの人がこれまでの家具を捨て新しい家具に買い替えている。その理由を聞いてみると、家が新しくなったから古い家具を置くと貧相に見えておかしいと言う。

彼らが捨てようとしている家具を見てみると、それは通販カタログやディスカウントショップなどで衝動的に買ったものがとても多いことに気づく。

「これを買った時は引っ越しでバタバタしてて、とりあえずテーブルがほしかったから」

「服が押し入れから溢《あふ》れちゃってタンスを探していたら、一万円均一のチラシが目について」など、よく考えず安くで買ったから、簡単に捨てることもできるのだ。

ロンドンの近郊のケントにあるイギリス人のフラットを訪ねた時、彼の部屋の物の少なさに拍子抜けした。彼は五〇代の銀行員で、高学歴で、年収も同年代のイギリス人の二倍はあったと思う。私はそれなりに豪華なインテリアを期待して訪ねて行ったのだ。

ところが、リビング、書斎、寝室とすべての部屋を案内されるにつれ、どの部屋にもジョージアンのチェスト（引き出し）と、マホガニー材のアームチェアが置いてあるだけだった。アンティークの中でもイギリス人に人気の高いジョージアンは約二〇〇年前の家具だ。彼が買い揃えたチッペンデール式と呼ばれる一人掛けの椅子は、鳥の足が小さなボールをつかんでいる。そのフォルムが椅子の脚になっていて遊び心がある。どこかフランスのロココ調でもあり、装飾的で部屋に一点だけ置くとフォーカルポイントになる。その家具を眺めていると、彼の目指すインテリアが見事に伝わってきた。それは端正な美しさだった。

ジョージアンの家具が大好きな彼は、これらを一〇年かけて集めたと言っていた。

そういえば、彼と一緒にケンブリッジ近郊の小さな村々をドライブした時も、彼は必ず古道具屋やアンティークショップでジョージアンの家具を見ては店員と話し込んでいた。そうやって、方々に当たりをつけながら、本当に気に入った物だけを買い足していったのだと知った。

そして、こういった態度にはもう一つ別な一面があるのだ。イギリス人は一つの物を使い続けることはゴミを出さない、資源を大切にすることにつながると考えている。そして「買う金があるから」「物が安くなってるから」と買い物ばかりする日本人を、資源をムダに使っていると批判する。

今、日本ではゴミと呼ぶにはあまりにも立派な粗大ゴミが後を絶たない。その陰には、とどまることなく安い物をどんどん製造し、一挙にカタログやインターネットで宣伝し、コストダウンして大量に販売していく日本の商法の在り方と、それをありがたがり、とびついて離れない買い手の終わりなき関係があるのだ。

家具を捨てるアメリカ人と日本人の共通点

アメリカ人にとって住まいは社会的ステイタス。
インテリアを通してその家の主《あるじ》の経済力や社会的パワーを誇示する。

一口に欧米人といっても、アメリカとイギリスとでは家に対する考え方の根本がまったくちがうと書いた。繰り返しになるが、中流以上のアメリカ人にとって住まいは社会的ステイタスである。そしてその最たる部屋がリビングなのだ。

リビングは来客の多い家では一種のショープレイスとなり、インテリアを通してその家の主の経済力や社会的パワーを誇示する。

アメリカのインテリア雑誌を見ていると、豪華なリビングの写真が次々と登場するが、その完璧《かんぺき》なレイアウトに舌を巻くことがある。ゴブラン織りのたっぷりとしたドレープのカーテンやグランドピアノ。美術館にありそうな彫刻。そしてモダンなデザインの高級家具が寸分の狂いもなく計算しつくされた配置にレイアウトされていることに気づく。

これでは一般の素人《しろうと》はおいそれと手が加えられない。

通常アメリカでは、家は家具付き（フーリーファニッシュ）で完璧なセットとして売買される。家を買った段階で、プロのインテリアコーディネイターがレイアウトした家具がセットでついてくるのだ。だから、インテリアは完璧なまま、新しい住人は手間ひまをかけずに新生活をスタートすることができる。

数年前、日本に進出してきたアメリカの大手家具メーカーのコンセプトは、「部屋を丸ごとパッケージで売ります」というものだった。たとえば、リビングに必要なソファとコーヒーテーブル、飾り棚をすべてセットにしてリーズナブルな価格で販売するという考えだ。リビングと同じヴァージョンで「寝室セット」や「ダイニングセット」「子供部屋セット」もあった。価格も手頃だし、デザインも外国のインテリア雑誌から抜け出してきたようにあか抜けている。

ただし、ほとんどの家庭では、すでに基本的な家具は持っているわけだから、このメーカーの発想も家具は丸ごと捨ててセットで買い直すという日本の考えにとても近いと思った。

アメリカでは好景気の波に乗って現在はモダンな家具に人気が集まっている。新車を買う感覚で、古い家具は捨てて、人々はより新しいデザインの家具を買い揃《そろ》える。よりゴージャスなもの、よりステイタスを感じさせるもの、より珍しい個性的なものへと人々は消費を繰り返す。

イギリスでは、手に入れた家具はカバーを張り替えたり、ニスを塗りながらいつまでも大切に使い続ける。ケチだからとか、お金を使いたくないからではなく、好きだから持ち続けるのだ。ちなみにイギリスの家具職人は家具をいい状態で長持ちさせる技術においても一流と言われている。そうやって手入れを繰り返された家具は、やがて年月がたつにつれアンティークになる。

だからアンティーク家具はオークションに出かけたり、骨董品《こっとうひん》屋を探し回らなくても各家庭にふつうにあるものなのだ。

使い続けた家具がやがてアンティークに変わる。
だからイギリスではアンティークは各家庭にふつうにある。

実は私も最近になってこのことに気づいた。それまではアンティーク家具は、探し回って高いお金を出して手に入れるものと思っていたので、使い続けた家具が五〇年後、一〇〇年後にアンティークに変わるという気づきはとても新鮮だった。

家を建てた時、私はどうしても暖炉のそばに置く一人掛け用の椅子《いす》がほしいと思った。二〇代から年月をかけて集めてきた家具は外国製のクラシックなデザインのものが多かったため、どうせ買い足すなら同じイメージのものがほしかった。できれば座椅子のクッション部分はブルー系の花柄で、肘《ひじ》あては曲線を描いていて……と自分なりの具体的すぎるイメージがあり、一年間、方々を探し歩いた。

そんな折り、知人に輸入家具ならお台場にある大塚家具が品揃えが多いと言われ出かけてみた。偶然にも、そこで思い描いていたイメージとほぼ同じデザインの椅子を見つけたのだ。

ところが、その値段は予算をはるかに越えて高く、似たデザインの椅子が三分の一の値段で近くに陳列してあったので、とても迷った。その時、売場の女性がこう言った。

「この花柄の椅子は本体が栗《くり》の木（チェスナット）でできていますから使い続けるうちにアンティークになりますが、こちらの椅子は集成材でできていますから古くなってもアンティークにはなりません」

これまで都内の家具屋をずいぶん回ったが、こんな風に説明をされたのは初めてだった。アンティークになる――この言葉に四〇年後、五〇年後の目の前の椅子の姿を想像した。もしかしたらこの椅子は、私が死んだ後も人の手に渡ってアンティーク家具として愛され続けるかもしれないとまで考えた。そう考えただけで胸が高鳴る。

私は心から納得して、アメリカ製の青い花柄のその椅子を買った。

「栗の木ですから専用ワックスを塗るたびに独特の輝きが出てきますよ。表面についた傷も年月と共に趣きになって味が出ますから」

その女性の話に、この椅子がこれからどう変わっていくのかとても楽しみになった。

こんな出会い方をした家具は簡単には手放せない。

毎週土曜日に開催される杉並区にある救世軍のバザーに行くと、周辺の道路には各国の大使館員の車が駐車してある。エリート外国人がこのリサイクルバザーで毎週末、目を皿のようにして買い物をしているのだ。

ここでは日本人の家庭から排出された不要品を衣服から本、家電、家具に分類して、広い倉庫の中で販売している。イギリス各都市にある救世軍バザーに比べ、並んでいるもののクォリティの高いことといったら、まるで専門店さながらだ。

とくに家具コーナーは数千円で食卓テーブルから食器棚まで新品同様のものが手に入る。それを目当てに大勢の外国人買い物客が詰めかけ、列をなして売場の人と金額交渉をしている。

救世軍の担当者の話では、現在、家具を引き取ってほしいという依頼が都内の各家庭から殺到して一ヵ月近く待ってもらっているのだという。しかも、引き取る家具は新しいもので汚れていないものにかぎるということだ。

救世軍バザーの建物の裏手には所狭しとひきとられた新品同様の家具が積み上げられている。それらはなぜ捨てたんだろうと首をかしげたくなるほど新しくきれいだ。この何十倍もの家具がどこかのゴミ処理場に捨てられているのだとすると、一体何のために家具は作られ続けるのか分からなくなる。

こんな光景を見るたびに、日本の消費生活はやはり最初の出発点で大きく間違っていると思わざるを得ない。最近、物はますます安くなり大量生産が続いている。日本では家具を買う事は捨てることの始まりなのか。

イギリス人が南向きに執着しない理由

南向きにこだわり続ける日本人。
家を生活の大切な舞台として使いこなしているイギリス人。

日本では南向きの家が圧倒的に好まれている。南向きはイコール日当たりがよく明るいという評価なのだ。

これに対しイギリスでは家がどちらの方位を向いて建っているかはあまり重要な要素ではない。日本に比べると一年を通して太陽の光が弱く、曇りがちなので、人々はむしろ家の中から見える景色や周辺の環境にはこだわるものの、方位によってその家を買う買わないとはならないのだ。

むしろ、南向きで陽ざしがさし込む家というのは「家具が焼ける」「傷《いた》む」などの理由で敬遠されている。これは一般住宅だけでなく週末だけ使われる田舎の別荘をみても、家具に布をかけて陽に焼けないように注意を払っていることでよく分かる。家具は消耗品と考える日本ではあまり見られない光景だ。

ちなみに石造りのイギリスの家では、全体的に窓の数も少なく、日本の掃き出し窓のような大きなサイズの窓はあまり見られない。

そんなイギリス人の家を見て「暗い」「陰湿だ」と嫌がる日本人も多い。たしかに最近の日本の住宅は、一戸建てもマンションも「各部屋二面採光」が一つのセールスポイントになっていて、住宅の販売チラシを見るたびに「南向き」と同じく「二面採光」は大きくうたわれている。

イギリスでは古い家が多いので、当然窓も小さい。一〇〇年以上前の家では採光はそれほど重要ではなかったし、窓を拡《ひろ》げることで強度のバランスがとりづらくなる技術面の問題もあった。

けれどもイギリス人にとって、窓は単に明かりとりだけが目的ではない。

これまで何軒かのイギリス人の家を訪ねた時、偶然にも彼らが大変気に入っている風景を家の中から見せてもらったことがあるが、いずれも北向きの窓だった。ある人は、「ここから見える木の広がりが大好きだ。ラッキーにも北向きだしね」と自慢したので私はとても驚き、「北」を「南」と聞き違えたのではないかと何度も確認したほどだ。

すると、「北向きは一日中、太陽の光が安定しているので、窓から見える景色が変わらずとても落ち着く」――というのが彼の意見だった。

これと同じく、書斎を北向きの部屋に作る人も多い。その理由をたずねると、大切な本が陽の光で焼けるからだと答えた。日本では今、自分の書斎を持ちたいと願うサラリーマンがとても多いと聞いた。けれどそのイメージの中には「陽の光であふれた」「明るい」という要素が強いのではないか。

日本ではなぜか「北」――といえば、不吉な暗い方位として忌《い》み嫌う人が多い。イギリス人は「南」にこだわり続ける日本人のそんな感覚が理解できないのだ。

ちなみにイギリスで戦前はどの家にも「ブレックファーストルーム」という朝食を食べる部屋があった。家の中でいちばん朝日の入る明るい部屋がこのブレックファーストルームになるのだ。そこで家族は朝日を浴びながら朝食を食べ、一日を始める。

逆にダイニングルームは夕方からお客を招いてディナーを食べるために使われる部屋なので、陽の光や明るさは重視されない。家の中でももっとも大切な家具や装飾品を飾り、他のどの部屋よりもフォーマルな演出をするため、太陽の光が当たりすぎても困るし、多少日当たりが悪くても問題ないのだ。

こうした各部屋による発想の切り換え方を見ていると、イギリス人は家を生活の大切な舞台として使いこなしているという気がする。

だからワンパターンのステレオタイプの発想を持たない。南向きにこだわり続ける日本人は、本当の意味ですべての部屋を使い分けていないのではないかと思える。

なぜイギリスの照明はあんなに暗いのか

こうこうと電気をつけて夜でも昼のように明るい日本の家。イギリスの家の間接照明による暖かい雰囲気づくりを見直そう。

イギリスの典型的な住まいを見せてくれるというので、東京で暮らしたことのあるイギリス人の家を訪ねた時のことだ。彼の家はケンブリッジから少し北にすすんだチャーチエンドという小さな集落にあった。近くのパブで夕食をとり、彼の両親が待つ古い農家を改造したその家に着いたのは夜の一〇時を回っていた。
家の中に入った私は、目をこらしながら転ばぬようにリビングのソファに腰かけた。それほど、この家のリビングは薄暗かったので、てっきりご両親は先に休んでいて、帰ってくる私たちのために室内の補助灯をつけておいてくれたのかと思ったのだ。ところが淡い闇《やみ》の中から「ハロー」と声がしたのでその方向を見ると、二人共きちんと身繕《みづくろ》いをして私を待っていた。

紅茶を飲みながら、しばらく四人で談笑したが、一時からアフリカのドキュメンタリー番組が始まり、二人は「どうしてもこれを見たいので」とテレビの前のカウチにすわり直した。テレビのボリュームはとても小さく、音が出ているのか出ていないのか分からないほど、かすかにしか聞こえない。

薄暗い部屋の中ではテレビの画面の明かりがとても明るく、まぶしく感じられた。驚いたのは、その明かりの中で友人の母親がテレビを観《み》ながら刺繍《ししゅう》を始めたことだ。老眼鏡をかけてはいるが、手元を照らす小さなスタンドとテレビの明かりをたよりに三〇分近くクロスステッチを楽しんでいた。

私は友人にあんな暗い場所で刺繍をして目が悪くならないのかとたずねた。彼は首を振って答えた。

「日本人に近視が多いのは、狭い部屋の中でこうこうと電気をつけて、画面の大きなテレビを張りつくようにして年中見ているからだよ。夜は、これくらいの明るさが人間にとっては自然なんだ」

彼は東京に暮らしていた頃、夜、日本人の家に招かれるのがとても苦痛だったと言っていた。マンションも一戸建ても、まるで昼間のように蛍光灯がつけられ、いたる所をスポットライトやスタンドが照らす。まずその明るさに、神経が休まらなかったと言う。それに加えて日本人はサービス精神なのか、テレビや音楽のボリュームを上げたまま客との会話を始める。明るく、騒々しく、まるでカラオケボックスの中で何かを喋《しゃべ》れと言われているような不快感を、彼は毎回感じたそうだ。

別なイギリス人は、日本人は家族団らんといえば、たとえ夜でもネオンのように明るい照明の下で、けたたましい笑い声や喋り声が響いていなければいけないと思い込んでいるのではないかと言った。真面目《まじめ》に親子が話をしたり、めいめいが静かに本を読んだりして自分の時間を大切にすることが、陰気なことだと勘違いしているのではないか――と。

イギリスでは、B&Bの宿泊客用のラウンジから町のレストランにいたるまで、夜の照明は薄暗く、テーブルの上のキャンドルが手元の明るさを補足している。また、BGMに流れる音楽もかすかに聞こえる程度。声を張り上げなければテーブルの向こうに座っている人の話が聞こえないといったことはまずない。

私は東京のレストランで夕食を食べていた外国人に、何度か、

「ここはうるさすぎて頭が痛くなるから出ましょう」

と、機嫌をそこねられたことがあった。

イギリス風の間接照明のリビング（著者の家）

シャンデリア、フロアスタンド、テーブルライトなど約20種類の光量の弱い照明を使用。夜、この部屋に集まると、家族や訪問客とゆっくり語り合える。昼間とちがう雰囲気を作り出す大切さはイギリスの家から学んだ。

別に団体客がいた訳ではないし、学生が調子に乗って酔っぱらっていたのでもない。だからこちらとしては、不快な顔をされた理由が分からず、ずいぶん神経質なことを言うなと呆《あき》れたが、今になって考えてみると彼らの気持ちはよく分かる。

私が当時よく行っていたレストランは、夜が深まるにつれ、BGMのボリュームが最大音量になっていった。だから会話をする時もしょっちゅう相手に聞き返さなければならなかった。これはとんでもなく疲労をともなうことだったはずだ。

家にやすらぎと休息を求めるイギリス人。光量を調整して特別な空間を楽しむ。

そういえば、イギリス人の友人がある時ロンドンのレストランで興味深いことを言っていた。

「イギリス人と日本人ではレストランに行く目的が全然ちがうって知ってる？」

彼によると日本人はレストランに何かを食べに行く。ところが、イギリス人はレストランという雰囲気を楽しみに行くのだ。そこに漂ういつもとはちがう空気を求めに行く。だからこそ、ムードを盛り上げるかすかな音楽やほのかな照明はなくてはならない。天井からメインライトをこうこうとつけると、人に極端な影ができるし、それは昼間とか日常を連想させる。

イギリスのみならず、ヨーロッパではキャンドルも含めた小さなランプを店内のあちこちに置くことで光量を調整して特別な空間を作り出しているのだ。そして、そんな空間を楽しむためのお金が払える大人たちがレストランに集まる。

「日本でイギリスのようなレストランが少ない理由はターゲットのちがいだよ。日本では一〇代後半から二〇代前半にマトを絞ったショップやレストランばかりだろ。それだけ日本の若者がお金を持ってるってことだよ。イギリスでは三〇代から五〇代をターゲットにしたレストランが圧倒的に多い。まず、イギリスの若者は総じて貧乏だから食事にお金をかけることができない。だから、社会的にも経済的にも成熟した大人が顧客ターゲットになるのさ」

そのおかげでイギリスのレストランではマナーを熟知した男女がささやくように会話をするので、大声を張り上げながら食事をする必要がない。

日本のレストランがあれだけ騒々しいのも、レストランの楽しみ方やマナーを知らない人たちが集まってくるせいだろう。その多くは小遣いをたっぷり持った若者たちだ。居酒屋感覚でレストランに乗り込んできては静かに食事をする人たちを横目にいきなり大声で喋り、けたたましく笑う。椅子《いす》の背にもたれてそり返ったり、机をドンドン叩《たた》いてみたり、他人の不快感などおかまいなしだ。そんな彼らにレストランの責任者が注意をうながさないのは、結局、店がそんな若い層をメインターゲットにしているからだ。

日本では、こんな公共の場（レストラン）でも金さえ払えば客として認めてくれる。無礼でも、多少他人に迷惑をかけても周囲は目をつぶって許してくれる。だから、レストランはどこまでも日常の延長線上にあり、明るく、賑やかましく、ルーズであり続けるのだ。当然、成熟した大人にとってはいつまでも心地いい、特別な空間にはなりえない。

ところでイギリス人の中には自然を愛する人がとても多く、好んで自分の身を自然の中に置こうとする傾向がある。

それは日本の花見とか月見といった年に何回かのイベント感覚で飲み食い騒ぐために戸外に出るのではない。「夜風が気持ちいいから外を歩こう」とか、「月がきれいだからここに座っていよう」といった日常的なシーンから発生している。

暗く静かな夜を彼らが家の中でも、レストランでも、楽しんでいるのには、こんな理由もあることをつけ加えたい。

私は家を建てた時に、天井からの照明はなるべく少なくして、スタンドや卓上照明といった間接照明をメインにしたいと言ったが、「それでは暗い」とインテリアコーディネイターに指摘された。日本では、夜もひき続き勉強や仕事をする人たちばかりなのか、昼間のレベルの明るさをキープすることが絶対条件のように考えられているように思えてならない。

イギリスの住宅街を夜散歩すると、どの家からも淡いオレンジ色の光がカーテン越しにこぼれている。それはとても心やすらぐ風景で、昼間に劣らず、立ち止まり、中をのぞいてみたくなるのだ。

今、日本では住宅展示場に蛍光灯は使わず、できるかぎり暖色系の照明を使っているそうだ。その方が、暖かいイメージだから人がひき込まれるのだとハウスメーカーの営業マンは言っていた。

イギリスの家の居心地のよさはこんなイメージ作りが成功しているからとも思える。人が家に「やすらぎ」や「休息」を求める時、音や光はけっして見落としてはいけない要素なのだ。

絵や人形を飾り続けるイギリス人の習慣

イギリスでは、よくこれだけ集めたと感心するほど、家の中のいたる所に小さな陶器の人形が置かれ、壁には隙間《すきま》なく絵がかけられている。

また、ふんだんにファブリックも使われている。サイドテーブルやコンソールテーブルには必ず壁紙や絨毯《じゅうたん》とコーディネイトされた色のテーブルクロスがかけられているし、ソファには所狭しとクッションが並んでいて、ひざ掛けや毛布も常備されている。

イギリス人の家を訪ねると、とても暖かいイメージが伝わってくるのはこういったファブリックや装飾品、雑貨がインテリアのキーポイントになっているからだとつねづね思っていた。

それにしても時には壁が見えなくなるぐらいに多くの絵を掛け、寝室からバスルームまで、まるで雑貨屋のように並べられたファンシーな置物たちを見ていると、それは趣味というより何か別な理由があるのではないかと思えてくる。

日本でもこれに似た家を訪ねる機会がある。家中、人形や民芸雑貨で溢《あふ》れているのだ。

置いてある物を指さし、「いいですね」と誉《ほ》めると、「これはハワイで買ったクロスです」「これは結婚プレゼントにいただいたお人形よ」といろいろ説明をしてくれる。だが、どうもその大半は「捨てるに捨てられず」しかたなく飾っているだけのようなのだ。なぜなら、それらの大半は新しく、古い物、昔の物があまりにも少ないからだ。多分、大掃除や模様替えのたびに処分されるのだろう。

溢れる物でどうにも身動きがとれなくなったこんな家では、帰り間際《まぎわ》になると、「これ、もらってくれないかしら。うちではなかなか使わないのよ」と、不要品をおみやげに持たされることがままある。

小物、雑貨、食品までそのほとんどが趣味の合わない物をこちらもしぶしぶ引き取って帰る。

こういった日本人の家は物がありあまっているだけで、暖かい部屋だとは感じられない。

家に名前を付けるイギリス人。自分のスタイルを家に刻み、そこに自分の個性を残す。

イギリス人の建築家が、以前こんな話をしていた。

「旅行でホテルに泊まる場合、一泊くらいの滞在なら服はスーツケースに詰めたままだと思うけど、もしそれが一週間になれば持ってきた服は、全部スーツケースから出してホテルの部屋のタンスに入れるはずだ。ベッドサイドには家族の写真を飾るだろうし、きれいな花をメイドに買ってきてもらうかもしれない。そこに自分が居続けると分かれば、イギリス人はその空間を自分らしく変えていこうとする。あらゆる方法で個人の感性を残していくんだ。だから、年老いたイギリス人夫婦が暮らす家は、若いカップルの住まいより細かい物が多いはずだ。動物の置物や人形やポプリがそこら中に家族の写真と一緒に並べられているはずだよ」

私は彼の話を聞きながら、二〇代の頃泊まり歩いた地方の農家（ファームハウス）の数々を思い出した。そこには必ずトラクターを乗り回したり動物の世話に追われる若夫婦と、のんびりカウチに座って針仕事を楽しむ老婦人がいた。

老婦人は、宿泊客に紅茶やビスケットを出したりしながら、家の中をウロウロして

家に名前をつける習慣

イギリスでは住宅の門や玄関横にこのようなプレートをしばしば見かける。これは主《あるじ》が命名したその家の名前である。プレートのデザインも名前同様に凝ったものが多い。自分の家は絶対無二なものという証《あかし》だ。

掃除や簡単な食事を作っていた。

宿泊客が話しかけると、そこら中に飾ってある家族の写真を持ってきて、「孫は今、小学校に行っている」とか、「これは亡《な》くなった私の夫です」と話をしていた。飾ってある小物をほめると、「外国に働きに出ている息子が誕生日に買ってくれた」とか、「これは、以前飼っていた犬に似ているんだ」と話はつきない。

この部屋に置いてあるものの中で、どうでもいいものは何一つないんだと、そんな様子を見ながら思った記憶がある。

ちなみにイギリス人は表札とは別に家に名前を付け、それをかかげる。気をつけて見ていると、「シーヴューコテージ」とか、「ドーバーハウス」など、その家の主《あるじ》が命名した名を刻んだプレートが玄関や門に下げられている。

こんな行為は日本ではまず見られない。けれどもよく考えてみると、子供の頃、ほしくてたまらなかった自転車を手にした時、私たちはそれが世界で自分だけのものだと表明するために「マッハ号」とか「スーパーカー」と、考え抜いた名前をつけて、誇らしく乗り回していたはずだ。

イギリス人にとって、家は手に入れ、住み始めた時から自分の一部になっていく。家を愛し、その家で展開される暮らしをもっとも大切なものとするからだ。

だからこそ夫も妻も若者も老人も、何もせず、ぼんやりと家に住み続けることはしない。自分なりのスタイルを家に刻み、そこに自分の個性を残してゆこうとするのだ。

イギリスの暖かいインテリアセンスには、そんな思いが込められている。

第4章

こうもちがう築年数と家の価値

日本の家、築二〇年で価値ゼロの論理

暗示にかけられたように「家の寿命」を心配する日本人。はたして家は使い捨てなのか。

私たちは基本的には手に入れた家にできるだけ長く住み続けたいと思っている。日本中がにわか成金、インスタント投資家になったバブルの頃ならいざ知らず、景気は低迷し、不動産も値崩れして先行きが読めない。こんな現状で人々は心の中に不安を抱いている。

「家など一生持てないかもしれない」と思いつつ、やっとの決意で購入した家を何とか手放さなくてすむよう、誰もが祈るような気持ちで暮らしているのだ。

ところが、ローンを組む時には「こんな金額を一生払い続けられるのか、リストラや不慮の事故で中途挫折《ざせつ》するのではないか」と、不安におびえていたのに、住まいを

手に入れた途端、多くの日本人は次なる欲望に目ざめてしまう。マンションを購入した人は一戸建てへ。一戸建てを買った人はさらに広い一戸建てへ。あるいは、理想の家へ向けて建て替えを考え始めるのだ。

イギリスでは築一〇〇年以上たった家でも現役の住宅として売買され、住み続けられていると書いた。

それに反して日本では、ますます家の使い捨てが進んでいる。どんなに見た目が立派に見えても、完璧《かんぺき》にリフォームしたとしても、日本では二〇年たった住宅は古家と呼ばれ、資産価値はほとんどゼロになる。

だから、今住んでいる家を担保に銀行から住み替え資金を調達しようとしても、その家が二〇年以上たっていれば建物の評価はゼロ。地価のみが査定され、とんでもない安値をつけられることになる。

住み慣れた家をたかが二〇年で「古家」だの「評価ゼロ」だのと言われ続けると、まるで暗示にかかったように「自分の家はそろそろ寿命かもしれない」「このまま住み続けたら、売るに売れなくなり、大損するのではないか」とよけいな心配を抱え込み、ここらで何か手を打たなくてはと思い始めるのだ。

イギリスの家のように一〇〇年近く住み続けるのではなく、短期間で建て替えてしまおうとするのは、こういった不安を知らず知らずのうちに植えつけられるせいではないか。

最近の一戸建ては十数年で建て替えられているとも言われ、鉄筋のマンションですら二〇年もたたないうちに取り壊され、また新しく生まれ変わる。

家の建築には資源やエネルギーを膨大に使うのに、なぜ日本人は家を使い捨てるのかイギリス人は不思議に思っている。あれだけ建てたり、壊したりを繰り返せるほど日本人一人ひとりは、イギリス人と比較にならないほど貯金しているのだろうかと。

住宅設備の技術革新もいいが、問題なのは家の空洞化だ。
たんなる「ねぐら」意識では家への愛着はますます希薄になっていく。

ところが、冒頭で書いたようにふつうの日本人は家をもっと長期にわたって使いたいと考えている。それなのに、この国では家がなぜか短命に終わってしまうのは構造的な世の中のシステムにある。

まず、日本ではすでに書いたように、付けるとこの上なく便利な住宅設備が続々と開発されている。床暖房、ホームエレベーター、換気システムなど、いずれも築年数のたつ古家に取り付けるのなら、この際全部壊してやり直した方がいいと早急な建て替えを決意させる動機になっているのだ。

また、今の家づくりは工場でプレカットされた木材を、工事現場で組み立てるといった工業化、分業化がすすんでいる。そのため、工法によっては補修、改良など家に手を加えながら住み続けることが難しく、堅牢《けんろう》な柱や土台以外は全部壊して建て替えようとなる。

今、コンピューターや家電は技術者が慢性的に不足しているため、故障が起きた時、そのパーツだけを取り替えればすむよう部品のカートリッジ化がすすんでいる。消費者が修理は面倒だと嫌がり始めたのもその理由の一つだ。

これによって、万が一、故障が起きても部品の交換さえすれば買い直す必要はなくなった。こんな発想を家にも応用できないのかと思う。しかし、日本の住宅産業は、こんな単純なサービスをしていないし、考えつかない。だから家は消耗品のままなのだ。

昭和三〇年代から始まった急激な経済成長で、この四〇年間、日本は目まぐるしく変わった。

より豊かな生活の波にのって変化し続ける日本では、「これでよし」と思ったものが一〇年後にはまったく使い物にならないといった例もままある。一〇年前に買った電話機はＦＡＸが付いていないので役に立たず、テレビはＢＳチューナーが内蔵されていないので買い直し。世の中のスピードについていけないのは家電しかり、家もしかりなのだ。

たとえば住まいの場合、二〇年前に建てられたアパートは、今の若い人のライフスタイルには対応できない面が多々ある。

「ワンルーム感覚で部屋が狭く、ものが置けない。シャワーがない。ケーブル放送やインターネットに対応できない」

こういった部屋は若い人たちに見向きもされない。だから、家賃を安くして、それでも入居者が集まらず、ついには運用できなくなる。そうなると鉄筋の建物であっても築二〇年で取り壊し、もう一度新しいアパートを建てることを余儀なくされるのだ。

それに加え、一般家庭ではもっと深刻な問題が起きている。家の空洞化がそれだ。イギリス人にとって夢である家は、家庭を持った日本人のビジネスマンにとっては近年「ねぐら」になってしまった。劣悪で狭い住まいは、いつしか寝に帰るだけの場所となり、家に対する愛着も希薄になってゆく。

そうなると男たちはますます家から離れ、「会社人間」になっていき、家族とも縁遠くなっていくのだ。彼らは家に関わるどころか、背中を向けて遠ざかっていたいと思い始める。

その結果、今住んでいる家を売りとばそうが、建て替えようが、ねぐらの確保さえできれば、それでいいと投げやりになる。

イギリスでは手に入れた時から住人のケアによって家はますます魅力的に、個性的に成長していく。築年数が古いのは当たり前なので、家を買う側は、その家の外観と内装を見て、手をかけて住み続けられている家かどうかをチェックする。仮にその家が主《あるじ》も寄りつかないほど劣悪な作りの家ならば、そう感じた段階で評価はほとんどゼロになる。

イギリス人は家の価値をあくまでも自分の考えで決めていく。彼らは国をあげて、長い年月を経た家を愛《いと》しみ、そこで暮らす人生を誇りにしているのだ。

だから築年数で家を評価する日本人の価値観をイギリス人は永遠に理解することができないだろう。

イギリス人が築六〇年以上の家を好む理由

イギリス人も家では苦労してきた。過密住宅、劣悪な住環境をどうやって克服してきたのか。

イギリスの家を語る時、多くの日本人は「豊か」とほめたたえる。だが、イギリスの住宅にも辛《つら》い歴史はある。むしろイギリスこそが劣悪な住宅事情と戦ってきた国なのかもしれない。

ある時、私はグラスゴーの不動産屋のセールスマンと一軒の家を見に行った。ずっと買い手がつかないその家は、まるで日本の建て売りのようだった。一目見ただけで安っぽさが感じられ、これまで見てきたイギリスの伝統的な家とはあきらかにちがうものだった。その家をながめながら、お喋《しゃべ》り好きなセールスマンは昔を振り返るように話し始めた。

「よく知っといた方がいい。イギリス人も家では苦労してきたんだよ」

私は思わず身をのり出した。

彼が喋り始めたのは、イギリスの住宅の変遷《へんせん》だった。

一九世紀、イギリスでは急速な工業化がすすみ、それによって農村部からたくさんの労働力が都会になだれ込んでいった。労働者は一部屋に一家族という過密住宅をあてがわれ、そこには風呂《ふろ》、台所などのアメニティ設備がなく、上下水もなかったという。

今のイギリスを見るかぎり信じがたいこんな状況は、一九世紀後半さらに深刻化する。日本では江戸幕府が倒れ、時代が明治へと変わっていった頃だ。

「バック・ツー・バック」と呼ばれた裏路地を囲むように建てられた過密住宅。リバプールにはこうした安普請《やすぶしん》の一部屋住宅以外に七八〇〇以上の地下住宅があり、そこが労働階級の人々の住まいになっていたのだ。

狭く、暗く、換気の悪い地下室に暮らす彼らは疫病《えきびょう》に感染し、多くの子供や若者が命を落としていった。イギリスの病理学者ジョン・サイモンは、

「安く不潔な住居やよどんだ飲料水は熱病やコレラを生み、寡婦《かふ》や孤児を増やしていく」

と、議会に警告した。それほどスラムとなった貧困住宅は多くの市民の命を奪い、貴重な働き手を次々と死に追い込んでいったのだ。

その後、イギリスでは「スラム・クリアランス」という政策がとられ、こういった貧困住宅にかわり、モデル都市が誕生し、さまざまなタイプの住宅が建設されていった。

ところが、第二次世界大戦でイギリスはまたも二一万八〇〇〇戸もの住宅を破壊され、この戦争によって住宅建設は一時、停止させられたのだ。

これとは逆にイギリスの人口は増え続け、世帯数も一気に増加した。それによってイギリスでは再び同居世帯が増え、ピーク時は四〇〇万もの人々が別の世帯と共に狭い部屋で肩を寄せ合うように暮らすことを余儀なくされた。

当時の政府はこれを見て、

「住宅政策の第一の目的はすべての家庭に分離した部屋を供給することだ」

と宣言した。

一九四五年には労働党が圧勝し、国民の期待にいち早く応えた。政府は住宅法を作り、公営住宅の建設を急ピッチで進めたのだ。その後、保守党は毎年二〇万戸を上回る住宅を建設していった。

イギリスが日本と決定的にちがうところは、こうした大量生産を実行しながら住宅の水準を同時に引き上げたことだ。

住宅が不足する中、スリーベッドルーム以上の良質な住宅をまず家族向けに作り始めた。温給水システムのコストが割増しになったにもかかわらず、ベッドルームのそばに浴室を作り、五人以上が暮らす住宅ではトイレも必ず二ヵ所設けられた。

その結果、建築コストは三五％もアップしたが、次々と質の高い公営住宅が国民に与えられていったのだ。

「古い家」ではなく、「成熟した家」
イギリス人は歴史ある家に最大の敬意を表する。

時期を同じくして、戦争で儲《もう》けた企業を中心にイギリスの経済は突然上向きになっていった。人々の暮らしは次第に豊かになり、中流階級の人たちはもちろん、こうした公営住宅に住む労働階級の人々の中からも、自分の家を持ちたい、買いたいという欲求が高まってきたのだ。

ロンドン、リバプール、マンチェスター、バーミンガムなどの都市部周辺にはニュータウンが次々と建設され、これまでの伝統的なイギリスの家とはちがう新しい家が建てられていった。

そんな家は建築経費を削り、よりたくさんの人が買えるように価格も手ごろに設定されたため、飛ぶように売れていった。

これらの建て売りの特徴は、従来のイギリスの家に比べ、天井が低く、全体のデザインは四角張っていて、窓枠も木製でなく鉄やスチールで作られていた。

それでも人々を魅《ひ》きつけたのは「スリーベッドルーム」という宣伝コピーだった。実際には夫婦用の寝室と何とか子供部屋に使える部屋が一つ、そして物置のようにせまいボックスルームがついているだけだった。それでも、これまで賃貸で我慢していた人々は、家族みんなが寝室を持てると、この建て売り住宅に夢を託したのだ。

ところがブームも一段落し、わが家を手に入れて冷静になってみると人々は、この家が伝統的なイギリスの家に比べ狭く、安普請な住宅であることに気づいた。

戦前のイギリスの家はその建築のすべてが職人の手作業によるものだったし、部材の一つ一つも本物を使っていた。重厚なパイン材の玄関ドア、自然石を積み上げた外壁、鍛冶《かじ》屋が鉄をたたいて作ったガーデンゲイト……そこから生まれる家の個性。

実は「ニュータウンテクニック」と呼ばれる工法で建てられたコストダウン先行の建て売り住宅には、イギリス人がもっともこだわり続けた個性や趣きが欠落していたのだ。

玄関周りのスペースを切り詰めたため、外から入るといきなりリビングが広がっていたり、これまで使わなかった大量生産のブリックを使って平坦《へいたん》な外壁が生まれたり、伝統的なイギリスの家に比べると、まるで紙切れのようにうすっぺらい。そんな家をみんながわれがちに買っていたことに気づいたのだ。

多くのイギリス人は、ニュータウンに住んであらためて本来のイギリスの家の価値を認識したと、私を案内したセールスマンはつぶやいた。

「あんたは日本人だから分かるかな。つまり、この家がずっと売れ残ってるのは何の個性もない建て売りだからさ」

私は目の前の、のっぺりとした一軒家のたたずまいに日本の住宅地を思い出していた。

そして、一人のセールスマンの話を通してイギリスにも日本と類似する家の歴史があったのだと知らされたのだ。最初からすべてが整っていたわけではない。どこの国にも民衆が犠牲を強いられ、社会が改善されるプロセスがあるのだ。

だから多くのイギリス人は今でも、家を買うなら戦前の家がいいと考える。

ちなみに彼らはイギリスの家を「古い家」（オールドハウス）と呼ばれることを正し

い表現とは思っていない。たかが築六〇年の家をオールドハウスとは呼ばない——誰もがそう主張する。イギリスではこの類《たぐい》の家を「キャラクターハウス」（個性的な家）、または「マチュアーハウス」（成熟した家）と呼ぶ。年代物のワインを「古ワイン」とは呼ばないのと同じで、歴史ある家にイギリス人は最大の敬意を表すのだ。

このようにイギリス人が築六〇年以上前の家を好む理由は、この国の住宅の歴史と深い関係がある。それは挫折《ざせつ》と挑戦が繰り返されたあくなき住宅の発達史なのだ。劣悪な住まいを余儀なくされてこそ、人々は最善の家を考えた。

その背後には、いつも国民に良質の住まいを提供しようとする政治家や有識者の働きがあったことも印象深い。「住まい」に関して、福祉国家の威厳をかけて国は国民に報いようとしたのだ。

それは住まいが人権ともっとも密接に結びついているからだとイギリス人は言う。

そして、人権を尊重した暮らしこそが国づくりの出発点なのだ——と。

日本の家が消耗品であり続けるもう一つの理由

「狭いながらも楽しいわが家」という言葉の問題点。家を人権や文化の基礎としてとらえるイギリスとのちがい。

イギリスでは家を、まず人権や文化の基礎としてとらえていると書いたが、それは日本にない発想だと思う。日本人一人ひとりの住意識は低い。それが日本の家や街並みを魅力に乏しく、貧しいものにしている。

すでに日本は二度、大都市の住宅や住環境を欧米並みに作り替えるチャンスを逃してしまったとイギリス人は指摘する。一つは関東大震災の後。もう一つは第二次世界大戦の後だ。

もしかしたら復興を機に引き上げられたかもしれない住宅の水準や住環境をバラックで十分だとし、日本人は真剣に考えなかった。

「狭いながらも楽しいわが家」という言葉がある。どんな家でも雨露しのげればそれでいいとする考えが長年日本にはびこってきた。これが劣悪かつ短命な住宅という悪循環を引き起こしたきっかけだと思う。この根底にはイギリスとはまったく逆の社会のしくみがある。

サッチャー政権が始まるまではイギリスでは路上のホームレスでさえ、心から国を信頼していた。

「たとえ、どれだけ貧しくなっても住む所がなくても、最後は国が食べさせてくれる、住む家を与えてくれる」

国民と国との間にはこんな強い信頼関係が結ばれていたのだ。だから、家に対しても柔軟な考えが持てる。

資金さえあれば部屋数の多い、ヴィクトリアン様式の一戸建てを買えばいいし、所得が低ければ公営住宅に暮らせばいい。ほとんどの人がそう考えてきた。

今、イギリスは福祉大国から経済大国へと再びその姿を変貌《へんぼう》させているが、それでもイギリス人は相変わらず気持ちの根底で国を頼りにしている。

一方、日本人は長年、住まいというものは個人の責任で確保するものと考えてきた。仮に住むところがなくなっても、頼りになるのは国ではなく自分自身なのだと国民は当たり前に思ってきたのだ。

日本では、休まず働きバチになり、収入は貯金に回し、自分のことは自分で面倒みるという考えが明治時代から始まり今まで続いている。その貯金が金融機関を通して土地の値上がりに使われているのに、だ。

このことについて、イギリス人の建築家はこう言った。

「日本人の貯金好きはただ見ているとあわれで悲しい。国を信用したくてもできない。老後、体が動かなくなって頼みの綱の身内もいなくなったとしたら、いったい誰が面倒みてくれるんだと考えた時、日本人が信じられるのはお金だけなんだ。イギリス人はあらゆる福祉が停滞している今でも貯金をしない。たとえ貧しくても、イギリスに住み続けるかぎり国が一生面倒みてくれて、放り出されることはないと信じているからさ」

ちなみにイギリスの住宅補助金（housing grants）は障害者の場合、玄関周りのスロープや間口を広げる工事から、車椅子《いす》に座ったまま部屋の窓から外の景色を見られるようにする内装工事にまで補助される。その範囲は広く、しかも費用の七五％を国が負担してくれる。車椅子のための構造的なリフォーム工事は当然としても、窓から外をながめるという楽しみにまで国が補助金を出すことは、日本では考えられない人間的な発想だ。

日常レベルで国に守られているか、守られていないか。こんな究極の安心感があるのとないのとでは住意識が日本人とイギリス人でちがってくるのは当然だと、彼は言う。いや、日本人は日常レベルはおろか国政レベルにおいても、国から大切にされているとは思えない。

たとえば日本ではＮＴＴを民営化する時、国が所有していたＮＴＴ株を国民に高額で放出した。その株はその後暴落し、多くの国民が損をした。国はＮＴＴ株で利益を上げたが、国民はそのつけを負わされている。

このように国民の利益より国の利益を優先する姿勢は日本中いたるところで見られる。

一方、イギリスが経済危機に陥った時、サッチャー政権は国の資産を民営化するにあたり安い金額で国の株を放出し、国民に利益をもたらした。

株ばかりではない。儲《もう》けることを考えずに税金を食いつぶしてきた国営事業のほとんどを民間企業に売却していった。たとえば、日本でも有名な自動車メーカーのローバーは国からドイツ資本のＢＭＷ社に売却され、それによってローバーは利益を生む企業に変わった。

このような動きは、イギリス経済を変革させたばかりでなく、国民の暮らしをも変えていった。

管理、補修で膨大に経費のかかっていた公営住宅も売却された。購入希望者を住人の中から募り、ほぼ四割近く値下げした価格で売却された。それは国が陣頭指揮をとった画期的な改革だった。

これまで一生かかっても自分の家など買えないだろうとあきらめていた労働階級の人々に夢のような価格で提示された住まい。そしてはじめて手に入れたマイホーム。社会の底辺にいた彼らは家を買うという新たな目的を得てはじめて自分の人生を設計するチャンスをつかんでいったのだ。

この時、サッチャーは「あまりにも安すぎるのではないか」という批判に対し、「国の財産は国民の財産だ。これまで頑張ってきた国民に分配するのは当然でしょう」と、国は国民のためにあるという姿勢を見せた。

イギリスには家で「得する損する」「一生を棒に振る」という発想はない。だから居住不安がない。

日本では何度選挙を繰り返しても、こんな言葉を国政のトップから聞くことはできない。

「だから日本人は自分の土地や不動産だけに目が向く。公的な空間（パブリックスペース）はどうでもよくなるんだ。それは仕方がないよ。自分で自分を守れって言われて育ってきたからさ。その他大勢の他人のことはかまっちゃいられないんだ。だから家に対してもゆとりがない。短絡的なんだ。――壁にひびが入った、ああ大変。自分の大切な資産がダメになる。じゃあ、自分が元気なうちに建て替えよう。齢《とし》とってからでは手遅れだから――すべてこの調子だよ」

彼は、その心情は日本の国のシステムを見ればとてもよく分かると言う。

イギリスでは楽しみながら趣味のごとくに家づくりをすると書いた。それを見て日本人は「豊かだ！」とそのスタイルを羨《うらや》ましがり、絶賛するだろう。

だが、日本人にとって家は自分や家族の人生を支える最後の切り札なのだ。それは個人の命を生涯守りぬくお金そのものでもある。

現在、日本の都市部で一戸建てを手に入れようとすれば年収の約七・二倍の金額を支払わなければいけない。これはイギリスの三・四倍、アメリカの三・三倍を大きく上回っている。

日本で一戸建てはとてつもなく高額で、人生をかけた買い物になる。だから必要以上にその資産価値にこだわり、買った物件が値崩れしないよう、自分が損をしないよう神経質に立ち回るのだ。

だから少しでも建物が古くなり、資産価値が下がってくると、日本人は「買い替え」「建て替え」を考え始める。住み心地はそれほど悪くないし、住もうと思えば、あと一〇年でも二〇年でも使える建物を不安にかられて壊してしまうのだ。

イギリスで家はけっして消耗品にならない。それは社会構造が日本とはちがうからだ。

彼らが昔ながらの住宅を価値あるものと認め、住み続けられる住意識の底には、家で「得する損する」、あるいは「一生を棒に振る」といった発想がないからだ。

私の家についても入居後、遊びに来た人から「個性的すぎる家だから資産価値が低いのではないか」とか、「五年以内に売ってもっと広い家に買い替えした方がいい」と言われ、腑《ふ》に落ちず返事に困った。

自分がこだわって建てた家をそんなふうな論理だけで見ることはできないし、住み続けた結果、古くなり資産価値が下がっても、日本の場合それはいたしかたない。

現在、圧倒的に共働きの多いイギリスでは夫婦の年収を合わせると二〇代のカップルでも家は無理なく購入できるよう金利の安い住宅ローンも完備されている。だから家を持つこと自体が最終目標にならないし、資産価値を気にせず、好きな家に好きなだけ住めるのだ。

その結果、長いスパンで家と向き合うことができる。

日本ではいつでも居住不安がある。借家は立ち退《の》きや家賃の値上げが心配で、なおかつ住み心地も一般住宅に比べると悪い。都市部においては高い家賃と仕事のはざまで田舎暮らしに憧《あこが》れを抱きつつ、都会にしがみつくように暮らしている人々はとても多い。

それでは家賃の安い公団はどうかといえば、なかなか空きがなく、建物も老朽化してあてにはならない。かといって簡単に家は買えない。安普請《やすぶしん》の建て売りにも住みたくない。

その結果、幸運な人たちだけがまともな一戸建てに住めるといった不公平な社会ができてしまった。だが、手に入れたら最後、幸運な日本人も今度は資産を維持するといった新たな不安にかられることになる。

終わりなき不安との戦い。日本の家が使い捨てられる構造がここにある。

日本の増改築とイギリスのリノベイションはどうちがうか

日本の増改築は一〇〇%変身させてしまうが、イギリスでは古い建物に増築部分を合わせる。

ロンドンの南西にバースという古都がある。日本でいえば鎌倉《かまくら》や金沢のような雰囲気の町で、この周辺には中流のイギリス人が多く暮らしている。

ある時、この町のはずれにとても趣きのある一軒の古いパブを見つけ、それ以来イギリスに行くたびにいつも立ち寄っていた。偶然、そのパブの写真をイギリス人に見せたところ、彼が興味深いことを言った。

「商売が繁盛《はんじょう》しているんだろうな。このパブは店を拡張している」

たった一枚の写真で、なぜ彼がそんなことを言い当てたのか不思議に思った。その理由をたずねたところ、横長に建てられたそのパブの右と左では外壁の目地の厚さがちがうし、窓枠の素材もちがうと言う。

よくよく見てみると、それは微妙にちがっていた。古い方の建物は何度も何度も自然石の隙間《すきま》を埋めようと、セメントが塗り込められていて目地が石の間からはみ出ている。ところが新しく建て増しした壁は石と石の間に隙間が見える。

次に窓枠。オリジナルの建物は木製の窓枠なのに対し、継ぎ足された建物は同じ白の窓枠だが直線のアルミニウムでできている。その他、屋根も古ぼけて朽ちた瓦《かわら》とよく似た風合いの瓦を使っているため、どこから継ぎ足したのか分からない。また、増築部分に付けられたトップライトも窓枠と同じ色で、この古いパブの景観の中で目立つことなく調和している。

古い建物に合わせて、増築部分も古く作る。その結果、家のイメージは同じままだ。こんな発想に驚いた。日本で増改築をする時、私たちは外装も内装も、新品同様に作りなおしてしまう。だからリフォームした一戸建てを見ると、継ぎ足した部分だけが妙に目立ってどこを建て増ししたかがすぐに分かる。また、外壁に塗装をかけてあたかも新築物件のようにしてしまうので、リフォーム後は、まったく別な家が誕生したりする。

「新しく見えることは日本の住宅にとって絶対条件なんだ。それに、もとの家だって

イギリスのリノベイション

イギリスの増改築ではオリジナルな部分を最低でも20%は残しておく。スコットランドのアバディーンに建つこの家は、昔は農家で働く労働者のための住まいだった。魅力的な煙突とローカルストーンを使った壁面は手を加えられていない。

保存したいほどのデザインじゃない。だから、日本人は迷わず家を一〇〇％変身させてしまうんだよ」

と、イギリス人は評する。

以前、サッチャー政権は国民に「ホームオーナーズアイディア」を提唱していった。これは、できるだけ家を持ちましょうという啓蒙《けいもう》だ。そして誰もが低金利で住宅資金を借りられるよう国をあげて制度を整えた。

これによってイギリスでは三〇代以下の若いカップルでも、約六〇％の人たちが自分の家を持つことができる。その結果、結婚しているカップルで借家に住むということは珍しくなった。

廃屋同然の安い家を買い、
手間をかけて改装するイギリスの若い人たち。

ところが、まだ収入もそれほど多くない若いカップルがマイホームを手に入れることのできる理由がもう一つある。いかにもイギリスらしい隠し技だ。

それがリノベイションと呼ばれる古家の再建である。これは、倉庫代わりに使われているフラット、汚い農家やコテージを通常価格の半値以下で買い、時間をかけて自分たちで改装（リノベイション）してマイホームにするスタイルだ。

たとえば、ロンドンで働くカップルは、緑が多く環境のいいホームカウンティと呼ばれるロンドンを取り囲む郊外の街に家を持ちたいと夢見る。サリー、ケント、エセックスはとくに人気が高い地区で、物件価格もロンドン市内に匹敵するほど高い。

そこで若いカップルや資金不足のイギリス人は、自分が暮らしたい地区で廃屋同然の古家を探す。通常四〇〇〇万円する一戸建ては、状態が悪ければ三〇〇〇万円、あるいは半値近くで売り払われる。そんな見切り物件を購入し、夫婦で、あるいは仲間と一緒に基礎の修復、水廻り設備の交換、壁や床を張り直し、キッチン設備も取り替え、ペンキを塗る。

時間をかけて補修した廃屋同然だった家は、クラシカルで魅力溢《あふ》れたイギリスの家に変貌《へんぼう》する。その結果、あきらめていた夢が実現されるのだ。

イギリスでテレビを観《み》ていたらリノベイションで夢を実現したアンティーク家具のディーラーとバレリーナの夫婦の家が紹介されていた。その家は二〇世紀初期のエドワード朝のセミ・デタッチトハウス（一軒の家を二つに割った、左右対称の二軒続きの家）で、彼らはその家を一九八五年に約七〇〇万円で購入した。その後二人の子供が生まれたのを機に家の改造に乗り出す。まず新しい応接間、クローク、ベッドルーム、バスルームを付け加えた。その後、フロントドアの場所を移動した。

あれこれ手を加えるうちに彼らの家は開放感に満ちた貴族の館《やかた》のように変わってしまった。この家を訪れる人々は「この家を担当したデザイナーはどなたですか」と必ずたずねるそうだ。

夫婦は言った。

「僕らはまるでバーゲン・ハンターだよ。鏡や洗面台やタイルなど使えるものはチャリティショップと古道具屋で血まなこになって探した。だから改装費は約二万ポンド（約三四〇万円）ですんだのさ」

そして一五年たった今、この家の値段は約五〇〇〇万円となった。買った時の七倍である。

そんなライフスタイル「リノベイション」は、一五年前、イギリス全土で大ブームになった。イギリス人は安価で購入できる魅力を秘めた「あばら家」を探し始め、リノベイション専門の職人や斡旋《あっせん》業者まで出たほどだ。国レベルでもテムズ川沿いの「ドッグランド再開発事業」が始まり、テムズ周辺の古い倉庫は次々とリノベイトされ、新しいオフィスビルや高層住宅が出現した。すべて壊すのでなく、まだ土台や骨格が利用できる建物は、それを活《い》かそうと考えられた。

日本のリフォームは新しくすることが第一の目的である。うす汚れてしまったという理由だけで台所や洗面台を取り壊し、入れ替える。これは新しく買った食器棚に合わないからとまだ十分使える食卓テーブルを捨てる感覚に似ている。

だが、イギリスのリノベイションは、今あるものを再利用するという考えだ。使わないですむものは資源も、お金も、労力も使わないという合理的な発想がもとになっている。

ちなみにイギリスでは築一〇〇年以上の家を改築する場合、雨風にさらされ味の出た外壁、重厚な玄関ドアなど古い部分を最低二〇％は残しておく。その方が売却する場合好感度が高く、買い手がつきやすいからだ。何より古い部材やそれを活かしたデザインには職人技が生きている。イギリス人はそこに価値を感じるのだ。

日本人は新しいものを良しとし、新しいだけで満足する。たとえ、その中身が粗末でうすっぺらなものであっても「新しさ」はすべてに勝るのだ。

この発想が変わらないかぎり、再び伝統的な日本の家が建ち並ぶ日は来ない。新しいだけで、うすっぺらな家がますます建てられ続けるだろう。

第5章

何が日本の家を醜悪にしたか

部材にこだわれない日本のシステム

日本では古材は少なくて高い。
住宅を取り壊して出る山のような古材はどこに消えるのか。

イギリスの古いコテージスタイルの家を建てたいと家づくりを始めた私が、いちばん苦労をしたのが部材探しだった。

目に見えない構造材は、堅牢《けんろう》で耐久性さえあれば何でもよかったが、目に見えるデザインの部分は、徹底的にこだわりたかった。ところが、メーカーが使用している標準的な部材はどれも新建材でできており、私のイメージする家にはそぐわなかった。何とか二〇〇〇万円以内で家を完成させようとすれば、メーカーで大量生産されている部材を使うのがいちばんだが、最後までこだわりをあきらめることはできなかった。

そこで、営業担当者の助言や、専門誌で情報を集めながら、自分でポイントになる箇所の部材を集めることにした。ところが、探し回るうちに日本には古いものが少ないという単純な事実に気づいたのだ。

たとえばリビングの天井のはりには、ホゾの入った無骨な古材を入れたいと思った。それでは解体業者を当たればいいと、埼玉のある業者に電話を入れた。ここは一五年前、フリーライターだった私が、インテリアの取材で訪ねたことがあったのでよく覚えていたのだ。ところが、電話に出た従業員の話では、もう解体業はやってない、普通の材木屋になったということだった。

古材を販売していても誰も買わないし、だいいち解体した古材のクギを抜いたり、寸法を合わせるために製材する手間ひまでコストが釣り合わないと言うのだ。その後、何軒かの解体業者に電話を入れたが、いずれの答えも同じだった。

そんな折り、友人に世田谷《せたがや》区にあるインテリアショップを紹介された。そこでは主に南米から輸入した古材を多く扱っているというのだ。さっそく行ってみて驚いた。木目の粗い、ささくれ立った味のある古材が、さまざまなサイズで陳列してあり、解体屋さながらでイメージにピッタリだったからだ。

ところが、付いている値札を見てもっと驚いた。長さ一メートルの古い松の角材が一万円以上もするのだ。たかが古材、されど古材なのか。その風合いや質感は人肌のように温かく、木目も美しいのに、あまりにも高すぎて手が出ない。その店には、鉄サビで真っ赤になったトタン板も売られていたが、やはり一枚一万円以上の値が付いていた。

なぜこんなことになるんだろう。

日本では取り壊される住宅は相変わらず多く、その結果、山のような古材が出るにもかかわらず、それはまたたく間にどこかに消えていき、わざわざ海外から高いコストをかけて解体された部材を輸入してくる。そしてそれは希少価値になり、とんでもなく高い値段を出さないと手に入らない。

結局、私は自分の家の工事現場に捨ててあったラス板や、植木屋の庭先に放置してあった丸太を集め、営業担当者や現場の大工さんに協力してもらって家づくりに使用した。

拾ってきた古材は暖炉の枠になり、キッチンの棚になった。こだわりたかったのはデザインだけでなく、こういったプロセスだったのかもしれない。

そんな経験から実際に家を建ててみて分かったことは、日本にはあまりにも部材のバリエーションがないということだ。

イギリスまで飛行機に乗って古材を買いに行く。驚くほど種類も多く安い。その理由を考えてみると……。

イギリスでは、カントリー風からモダンインテリアまでスタイル別にたくさんの種類のインテリア雑誌が出ているが、巻末には決まってそのスタイルにちなんだ部材や設備関係の広告が掲載されている。

「COUNTRY LIVING」という雑誌を見ると、田舎に建つ農家の不動産広告に始まり、家具、バスタブ、庭に建てるガーデンスタジオ、カーテンレール、暖炉の枠、コンサバトリー（サンルームのようなガラスの部屋）、床材のタイル、門、ドアノブ、スイッチ、タオルレール、ラジエーターのカバーまでと、書ききれない程のパーツ別広告が出ている。

しかも、ここに掲載されているのはカントリースタイルのものばかりだ。つまり、雑誌の数だけインテリアのスタイルがあり、それに関連した部材やパーツが販売されているのだ。

建築好きなイギリス人の女性にそのことを言うと、彼女はこう答えた。

「イギリスの男性は大工仕事ができるから、家の修理や改装は自分でやるのよ。だから、あらゆるスタイルの家に対応したパーツや部材がないと彼らは困るわけ。日本では何かあったらすぐに専門業者を呼んで、その業者が必要なものを持ってくるでしょ。だから、たくさんの種類の部材を店で売る必要がないのよ」

彼女いわく、日本で家にこだわり始めたら落胆することばかりだろうと。種類がない上に部材の一つ一つはとても高い。新建材の玄関ドア一枚が二〇万円だと知って、彼女は飛び上がらんばかりに驚いたという。

また、外壁に使うブリックタイルも自然石に近い風合いのものは海外からの輸入品となる。日本のものでは色や質感が平坦《へいたん》すぎるのだ。ところが輸入品のブリックはとても高価で、小さな私の家でさえ全面に施工《せこう》すると一〇〇万円単位で価格がつり上がる。

イギリスでローカリー・コワリー・ストーンと呼ばれる地方産の自然石はブリックより安い。これはヨークシャーやランカシャーなどイギリス北部で採掘され、その地域の主な産業になっている。しかも自然石の持つ微妙な色のちがいや均一でないデコボコな質感が建物に深い味わいをかもし出す。こんな魅力的な部材をふんだんに使えるのと使えないのとでは、出来上がった建物に差がつくのは当然だ。

日本では部材にこだわれない。ガーデニングブームで本物の灌木《かんぼく》や輸入レンガはどこでも手に入るようになったが、古材一本すら街で簡単に見つけることはできない。レプリカでもいいから古い形のドアノブやスイッチを手に入れたかったが、それも徒労に終わった。

結局私はイギリスまで飛び、「セカンド」と呼ばれる古道具屋で、コートハンガーからステンドグラスにいたるまで必要なものを買い付けて日本に持ち帰った。イギリスの地方の古道具屋で買う真鍮《しんちゅう》のドアノブは、一個二〇〇円程度。すべてが一〇〇〇円以下だから、飛行機に乗って出かけてもおつりがくる。日本のアンティーク屋で買えば一個が万単位につり上がるのだ。

また、私は自分の家の建具に北米のマーヴィン社の製品を使った。どうしても室内ドアや窓枠は無垢《むく》材のものにしたかったからだ。窓枠は外気に接する面がアルミ、内側は木製、そしてガラスは高気密なペアガラスと理想の商品だった。それだけ価格もバカ高いだろうと思ったら、見積もりを見て驚いた。玄関ドアは上部に三日月型のカットガラスが入っているとてもクラシカルなデザインにもかかわらず、その価格は日本のふつうのドアより安い。外国製は高いと誤った認識のもと、よく調べないであきらめていたら無垢の建具は手に入らなかった。塗装は予算が足りずに業者に頼めなかったため、入居後、自分で蜜蜂《はちみつ》のエキスから作られたアメリカ製のワックスをすべての建具に塗った。一階と二階の全室を一人で半日かけて塗り上げたのだ。やってみれば何でもできるものだと思った。

数ヵ月たった今、すべてのドアと窓枠は蜂蜜色に輝いて、ますます味が出た。

こういった部材が普及しないもう一つの理由は、日本で家は絶対的な資産だからだ。施主は業者に可能なかぎり建物保証を求める。業者は保証する代わりにマニュアル通りの材料で施工しようとする。こだわりのスタイルが実現しづらいのも、相互の保証関係があるからなのだ。

たとえば変わったドアノブをつけて、それが入居後に壊れたとする。それが保証の枠内であれば施主は業者につめより、「何とかしろ」となる。ところが業者側では、いちいちこういった事態に対応していられない。だから規格サイズのものを大量生産し、コストダウンをはかり、家づくりに組み込む。そしてそれは、便利で壊れにくいものでなければいけない、となるのだ。

だから無機質なアルミサッシの窓が普及し、セラミックの汚れにくい外壁塗装が注目される。そしてデザイン、スタイル、風合いは二の次となるのだ。

だから日本では既製品のような家がますます増えていく。それが面白味に欠けるワンパターン住宅になっているのは、家が居住価値からでなく資産価値として見られて

古い部材を活かしたデザイン

昔はイギリスでも曲がった柱は安っぽいとされ、客間でなく寝室に使われていた。アンティークビームに人気が集まっている現代では、この柱は目立つよう茶色にペイントされて部屋のアクセントになっている。古い部材が豊富なイギリスならではのスタイルだ。

いるかぎり仕方ないことなのだろうか。

洋風住宅になぜか松の木のある庭

日本の家がイギリスと比べて見劣りする理由の一つにバランス感覚の欠如がある。もともと「和」だった日本の住宅のスタイルは戦後、またたく間に洋風化されていった。

一九七四年にアメリカ生まれの2×4（ツーバイフォー）工法が日本でオープン化され、一九八〇年には大手ハウスメーカーが「コロニアル」と呼ばれる洋風プレハブ住宅を商品化し、都市部を中心に人気を集めた。これは長崎市のグラバー邸にも似ている。基本的にはヨーロッパのいろいろな様式の家が折衷した洋風住宅だ。

このような洋風住宅に人々が注目した理由の一つは、これまで直接目にすることのできなかったアメリカ生まれの部材や部品を丸ごと輸入し、ふんだんに家づくりに使われた点にあった。

木製建具、L字型階段、玄関ポーチ、木製のペアガラス窓、外壁のブリック……。

長年、映画や雑誌で見ていながらあきらめていた外国生活の断片がそこにはあった。若い層を中心に洋風化の流れがすすみながら、日本人は本物を探し求めていたのだ。洋に強い憧《あこが》れを抱いた人々は、完成された洋風プレハブが買えなくても、せめてそのパーツをわが家に取り込みたいと躍起になった。

その結果、純和風の木造の家にいきなりレンガの門柱を建てたり、畳の部屋に絨毯《じゅうたん》を敷きシャンデリアをつけたり、洋風というテイストをそこら中にちりばめていった。洋風化することはおしゃれであり、知的な感覚が漂う。それはとおり一遍の簡素な日本の一戸建てに満足できなくなった日本人の抵抗だった。そして、これまでバリエーションのなかった日本の家が初めて目ざめたデザインへの出発だったのだ。

イングリッシュガーデンブームだが……。「洋」と「和」の組み合わせに一貫性がない日本住宅。

ところが、急激な洋風化は、ステレオタイプの情報を日本の住宅地にまき散らし、そこにひずみを生んだ。ある在日イギリス人はこんな話をした。

「日本の住宅地を歩いてて驚くのが、新築2×4のアメリカンハウスが建っていて、その庭先に松の木がドーンと植えてあることなんだよ。どちらも立派で完璧《かんぺき》なのに、すべてちぐはぐでしょ。あれを良しとする感覚がどこからくるのか分からないんだ」

その時は、冗談だろうと話半分に聞き流した。

ところがその後、あるハウスメーカーのカタログの中に、彼の言葉を裏付ける信じられない写真を見つけたのだ。

それはとても豪華な総レンガの洋風住宅だった。敷地も一〇〇坪以上ある高級住宅だ。玄関ポーチの奥にはステンドグラス入りのドアが見える。シンボリックな屋根裏部屋の小窓や煙突。門から玄関までのエントランスも広い。建築費用は一般住宅の何倍だろうと考えた。

ところが、庭からのアングルを見て驚いた。その洋風住宅の庭には玉砂利がしいてあり、よく剪定《せんてい》された松や梅の木が枝を広げている。

しかも、これは大手ハウスメーカーの商品カタログなのだ。これではファッションショーでモデルにフォーマルドレスを着せて、下駄《げた》を履かせているようなものだ。そんな家を最先端をいくハイセンスな住宅と信じる感覚に愕然《がくぜん》とし、その異様さに見れば見るほどため息が出た。

こんな目で日本の住宅街を歩くと、これまで気づかなかったものが見えてきた。それは考えなしに洋のオプションを取り込んでいった日本住宅の陳腐さだ。

日本の住宅街がいつも統一感がなくいびつに感じるのは、この「洋」と「和」の合わせ方のすべてに一貫性がないからなのだと思った。

イギリスの家並みはどの角度から見ても同じイメージで統一されている。それは建物も庭のイメージもそこに暮らす人の意思が反映されているからだ。そしてそこにはいつも基準がある。

たとえばイギリスでは、庭は一つの部屋として考えられている。人々はそこにテーブルを置きランチを食べ、お茶を飲み、家族と語らう。だから建物とリンクする庭が必然的にでき上がるのだ。それは、成熟したイギリスの家と同じテイストで、違和感なく作られていく。庭は戸外にある部屋。こんな一つの基準すら、日本人にはない。

「日本だって東京の下町の本郷や根津あたりに行けば、今でも古い木造長屋の名残りはある。あれは本当に趣きがある。木曾路《きそじ》の馬籠《まごめ》や妻籠《つまご》もそう。玄関回りには木箱に植えられた草花が並べてあって、植木や盆栽もある。人々は路地で菓子を食べ、語らう。日本にもイギリスと同質の街並みがかつてあったのに、それを保存しなかった。それは、もう二度と手に入らないものなのに、誰も惜しまない。それが日本とイギリスのちがいさ」

日本に暮らしたことのあるイギリス人は、そう言って残念がる。

洋風レンガの家にそびえる松の木。これこそ日本の住意識を象徴している。

今、園芸店ではイングリッシュガーデンを作るための関連商品がとてもよく売れている。レンガと枕木《まくらぎ》、そしてオールドローズ。ついこの前までは仏花しか売ってなかった町の中の花屋ですら、こんな商品を店頭に並べるようになった。そして、日本中にイギリス風の庭は作られ続けている。そこには建物と庭の調和という考えがない。すべて、目についたもの、新しいブームをオプションで取り込む発想なのだ。バブル期にアクアリウムブームが起きて大ぜいの人々が室内で熱帯魚を飼った。けれど今、熱帯魚を語る人は少ない。これと同じ現象なのだ。

あるイギリス人はこう言った。「日本中に広がったイングリッシュガーデンは一〇年後、いったい何に変わっているんだろうね」――と。

住宅産業のスペシャリストは何を売るのか

日本で家を建てた人の半分近くは不満を抱えている。業界は職人不足で高い品質とデザインへの対応力にも欠ける。

実際に家を建ててみて気づいたことの一つに、日本の住宅産業に携わるスペシャリストの慢性的な情報不足がある。

私にはイギリスのコテージ風の家を建てたいという明確なビジョンがあった。私の家を担当した営業マンは専門知識の豊富なトップセールスマンだった。だがその彼ですら、契約直後は「イギリス風の建物」や「コテージ」といったこちらが意図する家が見えず、数々の洋書や写真やカタログを何度も見てもらった。まして、実際に工事に当たった工事監督や職人の方々には、塗装の仕方から、自然石に似せたブリックタイルの貼《は》り方まで、時には現場で一緒に施《せ》工《こう》してそのニュアンスを確かめ合うより方法がなかった。

イギリスの古い家の風合いを即席で出すには、すべてにおいてラフで粗い質感が必要だと話しても、瞬時に理解を求めることは難しく、「とにかく雑に！」を合い言葉に家づくりは進んだ。

工事監督は何回も頭を抱え込んで言った。

「これまでお客さんから一ミリと狂わず正確にタイルを貼れと言われることはあっても、雑に作ってくれと頼まれたことはない。ギャップが大きすぎる」

それでも真剣に取り組もうとする態度には日本の職人気質《かたぎ》を感じ、頭が下がった。

そんな工事関係者にもっと明確に自分のイメージを伝えるのに具体的に参考になる家がないか方々に出かけてみたが、玄関や窓などパーツはイギリス風であっても、一軒丸ごとというのはついに見つからなかった。

ここまで家にこだわって建てる人が日本ではまだ少ないのか、それともそれを形にできる業者が不足しているのか。

そんな中で、六〇回近く渡英して蓄積した私の資料と、依頼したハウスメーカーが未知の家づくりに柔軟に対応してくれたことによって、イギリスコテージ風の家は完成した。その家に私は大変満足したが、いろんな人の家づくり談を聞くにつれ、複雑な思いにもなった。

今、日本で家を建てた人の半分近くは何かしらの不満や後悔を残している。こうしたい——という施主のイメージが細分化され、具体化すればするほど、それに対応できる情報が求められる。にもかかわらず、ほとんどの業者がそれに対応できず、理想の家とはほど遠い家ができ上がる。

とくにバブル経済の後、再び始まった建築ブームで若い職人はますます不足して、高い品質とデザインを望む施主に対応できない業界の現状がある。

振り返ると工事の最中、出入りした職人は年齢から職種までさまざまだったが、ベテラン格の職人と一緒にやってくる見習いの若い人たちは、こちらの意図する感覚を直感的に理解する力があるように見えた。それを実践するのは師匠だが、言葉が伝わりやすいのは、感性にあふれた若い世代の人たちだと感じた。

たとえば、見習いらしき人に、

「ここの塗装は古くて汚いシミのついたような塗り方で……」と話すと、

「ああ、前に店舗を作った時やったことがあります。言いたいことは想像できますよ」

となる。彼らの頭には家づくりとは関係のない現場で見聞きした新しい情報もインプットされている。こんな若者が新しいタイプの職人として育っていけば日本の家ももっと面白くなるはずだ。

イギリスでは職人のネットワークが行き届いている。彼らに何かをたずねて「知らない」「できない」はまずない。

イギリスでは、築年数のたった家の改装はとても多い。それを根底で支えているのが職人で、その仕事内容はすべてのパーツで細分化されている。

以前、知人に頼まれてイギリスに建築部材の買い付けに行った時のことだ。知人が描いたイギリスのマナーハウスの絵を見せて「最終的にはこんな建物を建てたい。それに見合う建具を売る店を探している」と、とある田舎の不動産屋に情報を求めたところ、その不動産屋のオーナーはすかさず近隣の村に住む何人かの職人の連絡先を教えてくれた。

一軒一軒、訪ねてみて驚いた。ドアの取っ手だけを専門に作る職人の仕事場には、新品から年代物のクラシカルな中古の取っ手まで所狭しと並んでいた。

また、ある職人の工房は、解体したドアやマントルピースなどの建具を再び塗装を塗り替え、リメイクする専門工房だった。

いずれの職人も、私が持参した建物のデッサンを見てさらに専門的な職人や工房を教えてくれた。

たとえば、アンティークのネジやフックを専門に作る職人を紹介され、そこでは主にアンティークの部材を施工に組み込む大工や職人を教えてくれる。こちらの要望に対して期待以上の提案や情報がもどってくる。それはまるでネットワークのようで、ただただ感心した。

それよりも、こんなに細分化された技能がそれだけで商売として成り立っていける土壌に、日本との大きなちがいを感じたのだ。

イギリス人の建築家はそのことについてこうコメントした。

「イギリス人にとって、家は趣味であり、もっともこだわるべきものなんだ。だから築一〇〇年のヴィクトリア朝の家を手に入れてそれを補修しようと思えば、その時代の部材が欲しくなる。ドアノブ一つにしても、面倒だからってその辺で買ってきた現代のものを取り付けてしまったら、それで全体の調和がくずれてしまうんだ。イギリス人が家にこだわり続けるかぎり、大勢の職人の仕事はなくならないし、網の目のように情報量も増え続ける」

もともと日本の家も、地域の職人ネットワークに支えられた木造住宅が主流だった。

ところが住宅の大量建築が始まり、部品化、システム化とすべてを合理化せざるをえなかった。

そんな中で、最近ではこだわりの家づくりを目指す人が増え、本格的洋風住宅を求める声もますます大きくなった。そして、大工、工務店、ハウスメーカーでは対応できないマーケットが増え続けているのだ。にもかかわらず、プレハブ住宅も、建て売りディベロッパーも、住宅部品メーカーもこの流れにはついていけない。改善策や新しいシステムを開発しない。だから日本の住宅産業は、いつまでたっても消費者とかみ合わないのだ。

イギリスでは家のあらゆるパーツに専門職人が存在する。彼らのサポートのもとで築年数のたった古い家でも、その内部は住人の希望するデザインに塗り替えられ、しかも昔の部材を生かしつつ、現役住宅として使われている。

プロとしてあらゆる現場をこなす彼らは、たえず依頼主に提案できる情報を蓄積している。応用もきく。彼らに何かをたずねて「知らない」「できない」と言われることはまずない。

ロンドンに暮らすイギリス人の企業のオーナーは大の日本びいきで、日本風にアレンジした家に住んでいる。彼の家は、外観はふつうのデタッチトハウス（一戸建て）

だが、その中は本格的ジャパネスクなデザインに改装され、畳の部屋に茶室や床の間まであった。そしてそれはすべてイギリスの職人技だと聞き、再び驚いた。

イギリスの職人は、情報源であり、住まいのカウンセラーでもある。彼らがプロとして認知され、生き残れるのは、工業化、規格化の中ではじき飛ばされたソフト面を十分フォローしているからだ。

彼らの存在がなければ、イギリスの美しい家並みはとっくに消滅しただろう。

イギリスでは伝統的な家も職人も今だに健在で、日本ではそのどちらも消えつつある。

物を知らない業者と疑心暗鬼になる施主《せしゅ》

建築の専門家にも施主がうるさく口を出す日本。
信頼したら全面的に任せるイギリス。

日本では家を建てた後、不満を抱えたまま入居する人の割合は、全体の四割近くにのぼると言われている。

施主は、業者と契約をするまではちやほやされ「ぜひ当社でやらせてください」とペコペコされるが、契約書にサインをした途端、その力関係は逆転する。専門知識のない施主は、業者の誠実な作業にすべてをゆだねるしか手がなく、「間違いのない家を建ててください」と逆に業者に対して頭を下げることになるのだ。

にもかかわらず、約四割の人たちが満足できない結果に終わっているのはどうしてだろう。

私の友人もつい先日家を建てたが、彼女の業者に対する信頼感も、契約時と引き渡しの時とでは一八〇度変わってしまっていた。

「契約するまではすごい知識のある業者だと思っていたの。でも工事が始まって疑問が出るたびに何を質問してもうやむやなのよ。『ここに窓を付けたいけど強度は大丈夫ですか』とか、『断熱や遮音に関してこのままでいいんですか』って聞いても明確に答えてくれない。それで気づいたの。彼らは一般論としての知識はあっても、現場で対処できる本物の知識はないんだなって」

その結果、彼女が思い描いていたいくつかの夢は実現されないまま、家は完成した。玄関を吹き抜けにすることやビルトイン駐車場がそれだ。それがなぜ施工できないか後になって分かったことがあまりに多く、必要な情報が工事中に得られなかったので、彼女はできないと言われても納得できなかった。

物を知らない業者に施主は疑心暗鬼になり、すべてを任せられない。施主はひたすら頭を下げるか、工事監督以上に口を出すかの二つのタイプに別れていく。

国際結婚をして日本に暮らすイギリス人は、義理の両親が家を建て替えるというので何度も打ち合わせ現場に立ち合い、とてもショックを受けたという。

「妻の両親は、窓の位置、廊下の幅、押し入れの奥行きと、事細かに建築家と業者に指示を出すんだよ。それも最初だけかと思ったら、打ち合わせのたびに新しい指示を加える。こんなことイギリスでは絶対に考えられないよ」

彼はプロフェッショナルな建築家に対して、素人《しろうと》が指示を出したり、それをまた専門家が受け入れたりという関係を「あり得ない！」と言い切った。

イギリスで新築の家を建てることはとても珍しいが、偶然、彼の友人がロンドンの南西部で開発されているニュータウンに最近家を建てたそうだ。彼によると、施主は建築家と最初に打ち合わせをして、自分のイメージや間取りに関する要望を伝える。その上で、建築家は五パターン前後のプランを提案する。その中から一番好みに合ったものを施主が選ぶのが一般的だと言っていた。

施主はその段階でつけ加えることがあれば要望を出す程度。その後の工事は建築家と施工業者がすすめていく。だから、施主は建築家や業者を選ぶことにすべてをかける。

イギリス人は理想の家を思い描いていても「隣人」「デザイン」「環境」とあらゆる要因から一〇〇％の家はあり得ないと考えている。どんなキャリアのある建築家が家づくりを担当しても、そこには能力とは別な要因も作用すると。だから、最初から完璧《かんぺき》を期待しないのだ。

「それがプロに対するふつうの考え方だと思っていたからね。妻の実家の建て替え以外でも何人かの日本人の家づくりの話を聞いたり、現場を見に行って、とても信じられなかった。ある工事現場では施主が建築家に向かって、クローゼットの位置から照明の配置まで、こと細かに変更の指示をしていた。年配の建築家は『分かりました』と答えるだけ。日本の建築家にプライドはないのかね」

彼はこの一件を通して、日本人のある性質に気づいたという。

イギリスでは、一般の人たちはプロフェッショナルな人々に敬意を払う。建築家、医者、弁護士、教師、牧師など専門知識や技能を持つ人々をまず信頼し、尊敬する。たとえば、イギリス人が腹痛を起こしたとする。病院に行き「お腹《なか》が痛い」と言い、医者は基本的な説明だけをして必要に応じて薬を出したり、検査をしたりする。

日本では、まず患者が「お腹が痛い」ではなく、「胃がシクシクする」「腸のあたりが弱っている」「肝臓から来てるのではないか」などと、もっと細かく医者に自分の症状を伝える。それに対して医者も、時には専門用語をとり混ぜながら、痛みの原因を説明する。

「分かりました。お薬を出しましょう」

それでは誰も納得しない。日本人はイギリス人に比べて専門分野をよく勉強し、知識もあるから医者の話すことがよく理解できるのだ。レントゲンとCTスキャンのちがいはほとんどの人が知っているし、診察結果に不安があれば、血液検査、尿検査を自分から打診する患者もいる。

醜悪な家がどんどん生まれる背景には、施主と建築家の信頼関係の欠如がある。

全体で見た時にイギリス人は日本人ほど専門知識を持っていない。階級制度があるイギリスでは、ケンブリッジやオックスフォードなど名門大学で世界的な研究をするトップレベルの知識階級もいれば、英語の読み書きすら満足にできない層も同時に存在する。日本人のように国民全員がまんべんなく知識を持っているとは言えない。だから、専門家の意見を絶対視する。

そして何よりも基本的生活の中で「尊敬」する態度が日本ほど薄れていないと多くのイギリス人は指摘する。自分の分からないことは分からないこととして専門家の考えを仰ぎ、その意見に従うというものだ。最近はイギリスの若者も変わってきているが、私の友人は子供の頃、たびたびこんな経験をしたという。道の向こうから両手いっぱい荷物を抱えた老人が歩いてくる。その老人が、道路で遊び回る子供たちに、

「その子供たち、ちょっと私の荷物を持ってちょうだい」

と、言えば、子供たちは老人が年上という理由だけで荷物を代わりに持つ。目上の人を敬《うやま》い、助けることはイギリスでは当然のことだからだ。

親しかり。学校の教師しかり。その基本姿勢はプロフェッショナルな人々を尊敬する態度につながる。

以前、イギリスの地方都市で医者が三〇人以上の女性を薬で殺害するというショッキングな事件が起きた。事件の事実確認のため、警察はこの医者と何度も接触していたにもかかわらず、プロフェッショナルな職業というだけで疑いを持たず犯人検挙が遅れた。これもイギリス人がプロフェッショナルな人々を絶対視する一つのあらわれだ。

イギリスでは一〇〇年前から今日まで、自分の暮らすコミュニティの中で誰を尊敬するかはそれほど変わっていない。日本ではどうか。日本ではこの一〇〇年の間に人々の暮らしから価値観までが急激に変化し、その結果、自分が理解できる現実だけを信じるといった妙なリアリズムに誰もがしがみついて生きているという現象が起きた。

話を家にもどそう。

建築家や業者に任せておけないといった極端な心理は、日本人の中に、専門家を認めるといった態度が欠落しているところから発生している。また専門家も、それほど重要視されていないので肩書だけが前に出て、最後には責任をとるといった姿勢が薄くなっている。

この相互関係が負の連鎖を起こしているのだ。日本人は家のつくり手を心から信頼できず、最後まで貝になって物を言わないか、現場監督さながらに工事に口を出す。日本の若手建築家があるテレビ番組でこう語っていた。

「何を言っても耳を傾けてくれない。時には、面倒だからそんなことを言うんだろうと言われると、こちらもサジを投げてしまう。日本では施主と建築家が折り合わないケースが実はとても多い。その結果、でき上がる家はとても不格好な姿形をしている。そんな結果が分かっていてもどうしようもできないのは何を言っても『こっちは客だぞ』と蹴《け》られてしまうからだ」

醜悪な家が続々と生まれるその背景の一端を垣間見《かいまみ》る話だった。

この家にはいったい誰が住むのか

無国籍でちぐはぐな日本の洋風住宅。欧米人には理解できない建物だ。

日本の洋風住宅を見て欧米人は首をかしげる。「あんな家に私たちは住まない。窓や玄関ポーチは欧米のものに似てるけど、あれは日本の家でもないし、欧米の家でもないわ」
彼らはそんな無国籍な家が日本のあちらこちらに続々と建てられているのを見て、あんなスタイルがなぜ流行《はや》り、日本人が喜んで受け入れているのか理解に苦しんでいる。急勾配《きゅうこうばい》の三角屋根、ピンクや黄色のカラフルな外壁、玄関周りに貼《は》られたブリックタイル、そして建物に張り付くように密集して植えられたコニファー（観賞用の針葉樹）。

日本の洋風住宅と呼ばれる建物は奇妙だ。在日外国人がいちばん困るのは日本人の友達に案内されてこんな家を見せられた時だ。何とほめていいのか分からない。着物、歌舞伎《かぶき》、富士をイメージして来日してきた外国人は言葉につまり、ただ佇《たたず》む。

ある時、私は知り合いの女性から家を買ったので遊びに来てくださいと招待を受けた。いただいた手紙には「家好きな方々が毎週来られては絶賛してくれるわが家です」と書いてあった。

どんな家だろう。私はその女性の顔を思い浮かべた。

彼女はハーブやアロマテラピーに凝っていて、雑誌を参考に都内の雑貨店をいつも訪ね歩く人だった。彼女が満足して暮らす家はきっと得がたい感動があるはずだ。

私は都心から電車とタクシーを乗り継ぎ、その家を訪ねた。ニュータウンの入口には大手建設会社の看板が立っており、「南仏・プロヴァンスの街並み」と書かれてあった。嫌な予感がした。

告げられた住所の前でタクシーを降りた私は、目の前の家を見て硬直してしまった。濃いピンクの壁には申し訳程度に、まるでステッカーのようにレンガが貼ってある。また、その家につり合わないほど大きな玄関ポーチの両端には、ギリシャの神殿にあるような白くて太い円柱が入っていた。一瞬、幹線道路沿いに建つ派手なパチンコ屋を連想した。その上、ウッドデッキがこれまた巨大で道路にはみ出しそうにリビングの窓から突き出ている。重心はどこにあるんだろうと、思わずかがみ込んだ。周りを見回すと、隣りの家は黄色の壁。その隣りは薄いグリーンとなぜか一軒一軒外壁の色がバラバラだ。住んでいる人たちは、これを「かわいい」とか、「楽しい」と感じるのだろうか。微妙に外観のデザインを変えてはいるが、プロヴァンス風どころか悪趣味な建て売りにしか見えない。

感想を求められたら何と言えばいいのかと、家に入るのをためらっていると、私を見つけた知人が笑いながら家の中から飛び出してきた。

「素敵でしょ。この辺一帯、南フランスのイメージで開発されてるんですよ。売り出し開始から人気沸騰《ふっとう》でこの家も抽選だったのよ。倍率は八倍だったけど、運良く当たったの。私、フランスが好きだからプロヴァンスって広告を見てピンときたのよ」

彼女の話を聞きながら再度ピンク色のその家を見たが、外観だけですでに私は意気消沈していた。

家の中に入ると、まず吹き抜けがあり、続きのリビングダイニングがあり、二階に三部屋、フローリングの洋間があり……つまり、間取りそのものは何の個性もない普通の3LDKだった。プロヴァンス風とは、あの外観のことだったのかとため息が出た。

私は「プロヴァンス風」を連呼しながら、こと細かに自慢の家を説明する彼女が気の毒になってきた。そして、彼女の喜びに素直に同調できない自分にも居心地の悪い思いがした。

言われるまま見ると、一階のリビングにシャンデリアがぶら下がっていた。外観の色に合わせたピンクのシャンデリアを彼女が買ってきて、ご主人が取り付けたそうだ。それはアール・ヌーボー調で、すりガラスからこぼれる光が美しい、レプリカものだった。それだけがこの家の中でいきなり目立っていた。私は複雑な気持ちで、その家を後にした。

普通の建て売りに妙な外観のデザインをドッキングさせ、奇抜な色で外壁を塗りたくった家を「プロヴァンス風」と大々的に宣伝をする業者。それを喜んで購入する人々。

なぜ、こんなことがスムーズに成り立つんだろう。

何から何まで非現実的なモデルハウス。

やがてバカ高い建築費と現実とのギャップに打ちのめされる。

ところで、イギリスには住宅展示場はない。新車の展示即売会のように一つの場所に新しい家を並べたてても、そんな家に誰も興味を示さないからだ。イギリスでは家を新築する人はとても少ないし、歴史や個性を含めて築年数のたった家を買おうとするので、家に対するそもそもの価値観がちがうのだ。

住宅展示場の洋風モデルハウスを前にしたイギリス人はこうつぶやいた。

「何から何まで非現実的すぎる。東京の異常に高額な土地の上に、核家族の日本人がこんな大きな家を建てられるはずがない。実際、手に入れる家はみんなとても質素で小さなものなのに」

そのモデルハウスの中に入って、彼は再び驚いた。

「どうしてリビングがこんなにバカでかいんだ。まるでダンスホールじゃないか。しかも、おかしなシャンデリアがついている。日本人はシャンデリアがアッパーな暮しの象徴だと思っているんだろうか。置いてある家具はすべてサイズが大きいし、デザインも、モダンからアンティーク風までごちゃまぜだ。掛けてある絵は大きいだけで部屋と合ってない。西洋のデザインに精通してないことが一目で分かるよ。僕らはこんなにケバケバしい家には住まないし、この家のどこを見て日本人は夢をかき立てられるんだろう。何でもいいから大きくて高価なものに囲まれた暮らしがしたいんだろうか」

たしかに彼の言うとおり住宅展示場にある家の多くは、高級化、大型化されている。そんなモデルハウスは休日には家族連れで賑《にぎ》わい、まるでイベント会場さながらだ。

いかにも非現実的なモデルハウスだが、その中に入り室内のいたる所に置かれた高級家具に見とれつつ、とんでもなく広いリビングのソファに腰かけて営業マンのプランを聞くと、ヴァージョンアップした新しい暮らしの夢が広がっていく。

ところが、いざ家を建て始めると高級な家具や設備の数々は、オプションだったり、追加予算が発生するため次々と削除されていき、われに返る。そうして、手に入れる家というのはとても簡素で何の個性もない、展示場で見た家とは似ても似つかない小さな家となるのだ。

また、住宅展示場のモデルハウスは半年から一年で陳腐化するため、現場展示の意味も昔に比べ薄れてきている。しかも、家を建てたいと希望する一般人の専門知識は情報網やメディアの発達によってさらに豊富になり、展示場の営業マンでは対応できないケースも出ている。

今や日本の家を語る時、建物の知識だけではその全容は理解されない。日本の家の最後の課題は、異常につり上がった価格の土地と、世界レベルから見ても高額な住宅の値段に行きつくからだ。しかも、この値段は世の中の経済状況と共に変化する。まるで株のようだ。

たとえば、建坪六〇万円が相場だという情報が流れると、それを基本に家の値段は組み立てられる。八〇万円出すと少々ましになり、逆に五〇万円では物置のような家しか建たないなどと、その根拠も分からず業者も施主《せしゅ》も鵜呑《うの》みにしてしまう。

それを承知で展示場の豪華な家を見なければいけない。

分かっている。分かってはいるが、「このモデルハウスは坪八〇万かかってますから、お客さんの予算ではこれより少々ランクダウンします」と、横で営業マンに説明されても、その少々の幅が現実的にはさっぱり理解できない。

このメーカーはセンスがいいから、設備が充実しているから、ここにまかせればモデルハウスほどではなくても、建て売りよりはるかにグレードの高い家ができるはずだと多くの人は考えてしまう。それを前提に家づくりを始めると、「システムキッチンは無理としても床暖房はつくだろう」とか、「トイレ二ヵ所をあきらめてユニットバスをワンランク上げよう」といった断片的な発想の組み合わせになってしまう。

これではどんな家を本当に建てたいのか最後には業者も施主も分からなくなってしまう。そして頭の片隅にこびりついたモデルハウスのイメージだけがいつまでも残像として残り、結局建ち上がった家を前に「こんなはずじゃなかった」と営業マンに文句を言うことになるのだ。

断片的な発想よりも私たちは家づくりの全体価格をまず把握する必要がある。たとえば同じ家を建てるにせよ、アメリカは日本に比べ住宅価格が安い。それは住宅の部材や部品が大量生産され、合理的に流通しているため、日本に比べて驚くほど安価で住宅を消費者に提供できるからだ。

アメリカにも住宅展示場はあるが、それはアメリカに建つ一般住宅とさほどのギャップはない。アメリカの住宅は現実に敷地も建物も大きいからだ。安いコストで建つ豪華な家。しかもそれは現実に手に入る夢だ。

今、日本にある住宅展示場のモデルハウスには現実に裏づけられた夢や発想がない。建物の一〇年後、五〇年後の姿やそこで繰り広げられる暮らしが見えてこない。

展示場を見たイギリス人は最後にこう言った。

「日本の都市部で展示場のような家に住む人はほとんどいないのに、家を建てる大半の日本人は非現実的なモデルハウスと対面してすべての結論を出そうとする。あるいは、ちぐはぐなセンスを〝フル装備〟した建て売り住宅のオープンハウスでしか現状を確かめられない。このシステムが変わらないかぎり、日本の家は貧相なままだよ」

展示場の外へ一歩踏み出すと、そこには東京の過密住宅地が広がっていた。家に関して日本人は、見果てぬ夢を追っているのだろうか。

第6章

家は手に入れたらそれで終わりか

家でも何でも使い捨てるという感覚が危ない

家の補修はすべて自分たちでやるのがイギリス流。
そんな親の姿を見て子供も家は手を入れながら住むものと考える。

ロンドンでいつも泊まっているB&Bにチェックインした時のことだ。パキスタン人のオーナーが申し訳なさそうに近づいてきて、階段の手すりのペンキを塗ってくれと私に頼む。

その建物は地下一階から地上六階までのジョージアン・タウンハウスで、そんな作業を引き受けたら何日かかるか見当がつかないと思った。だいいち、彼は私の職業も知っているのに、なぜペンキ塗りを何の経験もない素人《しろうと》の宿泊客に頼むのだろうかと思った。

「一時間五ポンド出す」

と言うオーナーに、

「お金の問題じゃなく、やったことがないから無理だ」

と、断った。するとオーナーは、

「誰でもできる。私もできる。子供たちもできる。だから、あなたもできるはず」

と、引き下がらない。

よく事情を聞いてみると、ところどころ手すりのペンキがはげて、その表面に小さなひびが入っている。ずっと気になり何とかしなきゃと思っていたそうだが、自分は腰を痛めてしまったというのだ。

そのB&Bはロンドンの中心部、ハイドパークのそばに建つ趣きのある宿だ。おいそれと引き受け、ペンキをこぼし、壁や絨毯《じゅうたん》を汚したら大変だ。

それにしても、なぜ私に頼むんだろう。いくら顔見知りとはいえ業者に頼めばいいのに、そう思って再び断ろうとした時だ。

「もしよければ僕がやるよ。一時間五ポンドくれるんでしょ」

同じ宿泊客のイギリス人青年が割り込んできた。オーナーはホッとした顔で、お願いするよと彼の肩を叩《たた》いた。

黙って様子を見ていると、その青年は、オーナーに与えられたハケで、職人さながらに手際よくペンキを塗っている。バーミンガムにある証券会社に勤めているという彼は、とてもハンサムで着ている服もスタイリッシュだった。一見やわで、ペンキ塗りなどできそうに見えないのにたいしたものねと言うと、彼は照れながら答えた。

「僕の実家はヨークシャーの田舎にある古いセミ・デタッチトハウスだったから、家の手伝いといえばペンキ塗りか、草むしりだったんだよ」

彼の母親はきれい好きで、小さい家をいつもきれいに保っていたそうだ。年に二回は、ドアや窓枠や門のペンキ塗りを彼か父親が担当していたそうだ。親子で町のDIYセンターにペンキを買いに行くのも楽しみな習慣の一つだったという。

「イギリスのDIYショップは色彩の宝庫だよ。コンピューターで調合してどんな色の塗料でも作ってしまうんだ。僕の目と同じ色の塗料が欲しいって言っても対応できる。色は無限にあるんだよ」

ハケの先に彼は白いペンキをつけながら、

「僕だったら、この手すりの色は、もう少しアイボリーの入った白にするのにな」

と、つぶやいた。

イギリスでは家は手に入れたら継続的に関わり続けると書いた。だが築年数のたった家を補修や手入れをしようと思った時、基本的な知識や技術がなければ対応することはできない。

イギリス人は、食器を洗ったり、花を手入れするのと同じ感覚でペンキを塗り、大工仕事をする。母親は家具やファブリックにこだわり、父親は家の補修をプラモデルを組み立てるように楽しむ。そんな親の姿を見て育った子供たちは、家は手を入れながら住み続けるものだと自然に思うのだ。

古道具屋に行って中古の部材を買うのも、DIYセンターに行くのも、園芸店やスーパーマーケットに行って食料品を買うのと同じ日常の中の普通の出来事になる。

何を買っても満たされない日本の若い人たち。
彼らの育った家は心に満足を与えなかったのか。

イギリスでは、住居サービスの分野への女性進出が目覚ましい。最近では地方自治体の住宅局で約四割、住宅協会で六割の女性が専門職についている。また、女性の建築家、都市計画家、レンガ工や大工、フェミニスト建築家グループまで、続々と誕生している。

こんな背景には、やはりイギリス人と家との深い関わり方があると思う。

日本では「ご主人」が「奥さん」に家を買い与えるという感覚が長年はびこってき

た。「ご主人」は家を買ったら最後、ローンを払うためにせっせと働き、残業もいとわない。そして手に入れた家は「奥さん」とその子供の城になっていく。

「ご主人」は仕事に追われ、ペンキ塗りも補修もやらず、それはすべて「奥さん」から専門業者に依頼されていく。だから子供や孫は、家は故障したら専門業者を電話で呼びつけ、手早く修理してもらうものだという考えしか持てない。

その結果、家や建築に興味が持てず、家具から庭の草花までどうケアしていいかも分からないまま大人になっていくのだ。

そうして、親から独立して自分で部屋を借りても、ステレオタイプの発想しか持てない。ファッション雑誌やデパートに並んでいるインテリア雑貨や家具をカードローンでたやすく買い、雑に扱い、引っ越す時には邪魔だからと容赦なく捨てる。

いくら物を買っても、そこから作り出す、持ち続ける楽しみを知らない子供たちは、「もっと買いたい」、さらに「何か買う物はないか」と町をうろつく。

あるイギリス人の英語教師が毎週月曜日のクラスで二〇代の日本人の生徒に、

「週末は何をしましたか？」

と、たずねると、九〇％以上の生徒が「ショッピング」と答えるそうだ。同じ二〇代の彼女は、最初この反応にとても驚き、恐ろしいとさえ思ったと話していた。

"Always want something new"――生徒たちは、ブランドのバッグや時計などたくさんの高価な物を持っているのに、買う物がなくても街に出て行く。家にいてするべきことが分からないのだ。

心から満足できる、充実する暮らし方のお手本が彼女たちの家庭にはなかった。家族のステージである家からさまざまな物が作り出され、生み出されていく過程を目《ま》の当たりにできずに育ってしまった若い世代は、買っても買っても埋められない空虚さをどうすることもできずにいる。

インテリア、料理、衣類、そして人との付き合いや人間関係までも、金をかけずにいくらでも作り出せるという大切な気づきが持てないまま、大人になってしまったからだ。

だから若い日本人は料理もできず、棚一つ作れない。人間としての基本的生活能力を持たないまま結婚し、子供を育てる。そして、これは確実に次世代に引き継がれ、さらに物欲にまみれた日本人を作り出していく。

家づくりはオン・ゴーイング・プロジェクトと考えるイギリスの家からは、目に見えないたくさんのものが生み出されている。それは消費文化とは対極のスタイルだ。

水圧の低いシャワーを使い続けるイギリス人

不便だからといってすぐ改めないのがイギリス人。

便利さのみ追求していると、いつか人間が振り回されることになる。


「イギリスは合わない」とイギリスを嫌う日本人の中に「食事がまずい」と言う人が多いが、それと同じぐらい「イギリスの風呂《ふろ》が嫌だ」と思う人も多い。

B&Bや一般家庭にホームステイした人の中には、ザーザーお湯のかぶれる日本の風呂が恋しくてたまらなかったと強いストレスを感じる人もいるらしい。

イギリスでは築一〇〇年、あるいはそれ以上の古い家が多い。それが今なお住まいとして使われているのだから支障が出るのも当然だ。たとえば水圧の問題もその一つだ。

一〇〇年前、イギリスでは入浴は一週間に一度程度だった。今のように家族が一日一回シャワーを使う習慣はなかったので、細い水道管で十分だった。

日本にしばらく暮らすと、イギリス人でさえ一時帰国した時に、

「あの水圧の弱い、霧雨のようなシャワーの下で縮こまって体を洗ってると、早く日本に帰ってジェット噴射のようなシャワーを浴びたいと思うよ」

と、不満をもらす。またイギリスでは、天井裏にあるタンクにお湯を貯《た》めてそれを家中で使うため、お湯は何度かバスタブを満杯にすると簡単になくなってしまう。再びお湯が出るまで数時間待つのだ。これで何度、風邪をひきそうになったか分からない。それでも彼らはそんな水廻りをいっこうに改善しない。

日本人ならどれだけ費用がかかっても、不便だと感じれば家中の壁や床をはがし、水道管の取り替え工事を開始するだろう。あるいは、これをきっかけに家を建て替えるはずだ。

ところがイギリスは今なおどんな家に泊まっても、霧雨のようなシャワーを使い続けている。それればかりか、そんな不便なバスルームを日本人以上に慈《いつく》しみ、飾りたてて暮らしている。バスルームには、いつも色とりどりの石鹼《せっけん》や入浴剤が並べられて、タオルですら色あわせを楽しみ、雑貨感覚で並べている。

あるB&Bでインテリア好きの夫婦に、なぜイギリス人は、このウォーターサプラ

イを改善しないのかと尋ねたら、二人は即座にこう答えた。

「これも個性ですよ。古いイギリスの家が持つ性格の一つなんです。この前、友だちを訪ねてアメリカに行ったら、たしかに風呂場はゴージャスでした。ジャグジーやサウナまで付いているし、シャワーもいきおいよく出る。それは、まるで娯楽施設のようだったけど、一週間の滞在中、私たちはずっと落ち着かなかった。体を洗うのにイギリス式なら少しの水でこと足りるけど、アメリカ人はあれだけジャージャーお湯をあふれさせて毎日使い続ける訳でしょ。何だか罪悪感を感じたわ」

イギリス人がこの低い水圧にストレスを感じないのは、もっと便利な道もあるかもしれないけど、今のままでも十分やっていける、といった考えからだ。それによって、不必要な物も金も使わなくてすむ。すべてをムダにしないですむのだ。

これは手に入れた家の歴史やスタイルを尊重し、住み続ける発想に通じる。日本では、そのままでも十分なものに対してですら、さらにオプションを加え便利にしようとする。あってもなくてもそんなにちがいはないのに、少しでも変化させることが進歩だと思っている。

たとえば、タクシーの自動ドア。イギリスの黒塗りオースチンのタクシーは、自分の手で開けて乗る。日本では乗る時も降りる時も、自動ドアが開閉する。それが当然だと思っているが、かといってイギリスのタクシーに乗る時、「面倒だ。これが自動ドアだったらな」と思ったことは一度もない。

日本ではこの類《たぐい》の便利かどうかも分からない商品開発が延々と続けられている。そしてもっと不気味なのは、開発された便利商品が個人の意思とは関係なく、暮らしの中に入り込んできて、それを私たちがいつしか日常的に使うことになる、この社会構造だ。

イギリス的DIYは究極の家づくり

一二〇〇万円の低予算でイギリスの家を買った日本人女性。金をかけずに見違えるほどの家にしたリフォームとは……

アートを学ぶためにOLを辞めて三〇代でイギリスに留学した日本人女性とロンドンで久しぶりに会った時のことだ。彼女がロンドン郊外のウインブルドンに約一二〇〇万円で家を買ったと写真を見せてくれた。

それはベッドルームが二つにリビングとダイニングのある小さなテラスハウスで、築一〇〇年以上たっている古い物件だと言っていた。

朽ちた朱色のレンガにおおわれた外側とは裏腹に、室内には陽が差し込みとてもやわらかくて明るいイメージだった。部屋の壁はすべて真っ白にペイントされ、床は絨《じゅう》毯《たん》がはがされ、幅の広いオールドパイン材が貼《は》ってあった。その床の上にじかに並べられた彼女のデッサン画がさらにスタイリッシュな雰囲気をかもし出し、住まいというよりはモダンなブティックのように見えた。

彼女は嬉々《きき》として言った。

「この家のリフォームは、全部私と彼とでやったのよ。床を貼る時は大学のクラスメートも来てくれて、ビールやワインを飲みながらお祭りのようだったわ」

私はその言葉を聞きながら作業中の写真を見たが、彼女以外はすべてイギリス人で、職人さながらに奮闘している。

ある人はクギを打ち、ある人は電気の配線をやり直している。彼女の購入した家は、設備をほとんど取り替えないと使えないほど荒れ果てた状態だったそうだ。コンロからバスタブまですべてホームセンターのセールに駆けつけたり、人づてに不用品を譲ってもらったり、それでも不足した部品は古道具屋のガラクタの中から調達したという。

彼女いわく、

「日本人でこんな大がかりなリフォームを自分でやれる人なんていないし、まして大学生なんて家のことなど何も知らないでしょ。イギリスの大学生は専門書を見ながらでも自分たちで作業するのよ。電気配線や水道工事は職人に教わったりしながら。彼らは日本の業者より熱心だと思ったわ」

家賃の高いロンドンに暮らしていた彼女は、このテラスハウスを一目で気に入った。けれど、当時の彼女はOL時代に貯《た》めていた貯金を合わせても一二〇〇万円を支払うのがやっとだったそうだ。これ以上の改装費は一ポンドも出せない。イギリス人のボーイフレンドは、物件を前に躊躇《ちゅうちょ》する彼女にこう言ったという。

「リフォーム費用は一切考えなくていいよ。全部、自分たちでやり遂げればタダなんだから。僕の知っている若いカップルは、家を買っても業者にリフォームを頼んだりはしない。こんな作業、人手と知恵があれば絶対に誰でもできるものだよ」

そう言って彼は、仲間を集め、週末ごとにウインブルドンに出向き、彼女の古いテラスハウスを見ちがえるほどモダンな家に作り変えてしまったのだ。

彼女はそのプロセスにすっかり魅せられ、今はボーイフレンドと二人で広い庭の造園計画を考えているところだという。

「家って、一度かかわり始めたらやる仕事は無限に出てくるでしょ。でも、それはやってみると本当に楽しい。やめられなくなる。以前東京で中古マンションに暮らしていた時には分からなかった世界だわ。この楽しい作業をやめたくないから、イギリス人は新築の家があっても古い昔の家を買うんだと思うわ」

窓枠をペイントする

イギリス人が自分で家を補修する姿を「プライド」だと語る人もいる。誰もがペンキ塗りくらい自分でやるからだ。白い窓枠は２年に１度の塗りかえが必要。夏の長い夜に夫婦で作業する姿もよく見られる。

補修したいから買う。手を入れたいから自分のものにする。

彼女の体験に基づいてそう言われると、たしかに説得力がある。三〇代で日本を飛び出した彼女はすっかり家づくりのとりこになってしまった。

家を持つことでストレスをため込む日本人。
住まいのヴァージョンアップを楽しむイギリス人。

イギリスでは一九七七年に労働党が戦後住宅政策をまとめたグリーン・ペーパー（文書）を出した。

その冒頭にはこう書いてある。

「政府は、すべての家庭はその資金力の範囲内の価格で、人間らしい生活が営めるまともな住宅を入手しうるべきだと信じる」

この文書にもとづき、当時のイギリス政府は公共住宅にこれまで以上に投資をし、個人家主には住宅を改装するための補助金を出した。家を借りて暮らす人々の居住性までも高めるためだ。

こんなイギリスのあり方とは裏腹に、今、東京でまともな家を建てようとすれば、土地を入れると億近い高額な資金の調達が必要となる。こんなストレスの元になるような借金を背負ってしまった人間の恨みと怒りを、あるイギリス人のビジネスマンは日本の街並みから感じとって、こう言った。

「いつかきっと日本の家は人を殺すよ」

払いきれないほどの借金。時には「親子リレー返済」「二世代ローン」と、子供にまで家の借金を背負わせる。それがあたかも便利で新しい行政や金融機関のサービスのように報じられるが、本当にそうだろうか。

ローン減税が実施されている現在、家を持てば税金が戻ってくると市場は活性化している。

けれども、特別措置で戻ってくる税金をありがたく思い、それで日々の生活費を補てんしなければ家計が圧迫されるほど、日本で家を持つことは途方もなくリスクが高いことなのだ。

この本質が変わらないかぎり、日本人がまともな感覚で家と向き合い、暮らしを楽しむことなどできないのではないかと思う。

イギリスでＤＩＹは特別なことではない。それはお金をかけずに、今の暮らしをより快適に楽しくヴァージョンアップさせていく一つの手段でしかない。大工仕事や庭づくりはそんなライフスタイルの表れなのだ。

彼らの中には、家を持てないストレスや、持ったがために背負い込む圧迫感は当然ない。

手に入れた家を、ただ草木を育てるように手をかけ、時間をかけて成熟させていく。家を持ったと同時に、そんな喜びに満ちた至上の楽しみを受け入れていくだけだ。

第7章

とてもおかしな日本の家族と家の関係

セックスができる家、できない家

ベッドルームをもっとも重視するイギリス人。
何より夫婦のパートナーシップを大切にする。

最近、日本ではそこら中でセックスレス夫婦の話を聞く。週刊誌もテレビ番組でも夫婦のスキンシップの欠落や家庭内別居を特集することが多い。

三〇代後半の女性はある時こんなことを言った。

「娘が高校受験を控えて明け方まで音楽を聴きながら勉強してるの。その気配を感じるだけで夫とセックスをする気が失《う》せてしまう。セックスだけじゃない。子供たちに聞かれたくない親戚《しんせき》の悪口だって、声をひそめて話してるんだもの」

彼女の夫は大手企業の広報マンで帰りも遅い。家に帰ると背広をリビングに脱ぎ散らかし、風呂場《ふろば》に直行する。風呂は烏《からす》の行水のように短く、サッサと寝巻を着たらそのまま布団《ふとん》に入って死んだように眠ってしまうという。

それに対して彼女も違和感がない。3LDKの東京郊外の建て売り住宅に暮らし始めて五年。入居時から二階の夫婦の寝室と子供部屋は薄い壁一枚で仕切られていた。

「こんな家ですもの。逆に夫からセックスを求められたら、子供たちの顔がちらついて気が気じゃないでしょうね。ベッドのきしむ音がちょっとしただけで、『あっ、やってる』って思う年頃じゃない。だから今のままがいいのよ」

こんな話は彼女にかぎったことではない。日本人の急速なセックスレス化は、どの部屋にいても家族の行動が透けて見える日本の住宅事情とも密接に結びついている気がする。

イギリスでは何をおいても夫婦のパートナーシップこそが結婚の中でもっとも重要と考えられている。結婚で大切なのは、まず正常な夫婦の結びつきであり、その次に子供となる。正常な夫婦関係を維持するためにはセックスや会話、二人の時間が不可欠だと考えられているのだ。

この出発点が日本とはちがう。日本は結婚の中で一番重要なのは子供と考えるからだ。「子は鎹《かすがい》」「子供のためなら」——お互いに関心のない夫婦ですら、こんな合い言葉で結婚を持続させていくのが日本だ。

このことは両国の住まいを見ていくと、さらに明確になってくる。

イギリスでは家を購入する時、マスターベッドルームと呼ばれる夫婦の寝室がとても重要視される。せっかく気に入った物件でも、マスターベッドルームが気に入らないので購入をやめたという例はいくらでもある。

通常イギリスの家でマスターベッドルームは最高の場所に最高の条件で作られている。室内の豪華さ、窓から見える景色、バスルームやトイレで他の部屋と隔絶されていることなどがそれだ。

家において、夫と妻はさながらキングとクイーンだ。そして、たとえ子供といえども、彼らの空間に勝手に踏み込むことは許されない。たとえば、マスターベッドルームに子供が入ろうとする場合は必ずノックをして、中から返事があるまでドアは開けてはいけない。このことをイギリスの子供たちは小さい時から両親に厳しく教え込まれる。

ノックをすること。勝手に入らないこと。

その理由を大人になる過程で子供たちは知っていくのだ。

通常、イギリスで夫婦は寝室のドアは閉めていても鍵《かぎ》をかけることはしない。子供の年齢が低ければ、なおさらだ。だから、このルールはとても厳しい家族の約束になる。

イギリス人の友達は幼児時代を回想して言った。

「思い返すと両親の寝室はたしかに他の部屋と雰囲気がちがっていたね。美しい、淡い色のカーテンや壁紙。花やガラスの置物などすべてがやわらかい女性らしいコーディネイトなんだ。それはとてもパーソナルな空間で、子供の僕でもドアの向こうに踏み込んでいいのかどうか戸惑ったものだよ」

家族一人ひとりのプライバシーがなおざりにされる日本の家。子供ができたら、女性は妻をやめ永遠の母親になるしかない。

イギリスの夫婦は寝室をとても重要視して家を選ぶと書いた。それは、とりもなおさず自分たちが長い年月、愛情と信頼のもとで暮らしていけるかどうかの鍵が寝室にあると思っているからだ。

それに対して日本の夫婦は自分たちの寝室をいちばん後に考える。それよりもまず、子供部屋の確保が最優先だ。二人の子供がいれば、一つずつ個室を与えようとする。その結果、夫婦の部屋がなくなっても構わない。客間と兼用でも布団が敷けて眠れればそれで十分。そこから夫婦の愛情を紡《つむ》ぎ出すことなど、ほとんど頭にないからだ。

まして、家の中でいちばん条件のいい部屋を自分たちの寝室にしてしまうと罪悪感すら持ってしまう。

日本では基本的にすべての部屋は家族のものである。親は子の部屋に踏み込み、子供も親の寝室で友達と一緒に平気で遊んだりする。しかも、壁もドアもイギリスのそれに比べてとても薄い。

だから日本の家で家族一人ひとりのプライバシーは確立できないのだ。一つ屋根の下にいるだけで、家族の誰が何をしているか、ほとんどすべてのことが分かってしまう。

イギリス人はこんな状況を非人間的と言い、日本人は模範家族と考える。

以前観《み》た映画『ゆりかごを揺らす手』の中で、赤ん坊はベビールームに一人で眠り、夫婦は寝室のインターフォンを通して赤ん坊の様子をうかがうというシーンがあった。インターフォンでのみつながっている赤ん坊と夫婦。こんなことがあるのかと思ったが、実はあれはサスペンス特有の作り話ではない。

イギリス人のほとんどは赤ん坊に対してですらベビールームという部屋を与え、自分たちの寝室で四六時中面倒みるということはしない。この映画のようにインターフォンで寝室とベビールームをつなぎ、必要があれば赤ん坊のそばに行く。

このように生まれた時から子供には独立心を持たせ、夫婦のペースはこれまでどおり守っていこうとする。だから、妻の育児疲れによるストレスや睡眠不足で夫婦生活のバランスが崩れるケースは、日本に比べ少ないのだ。

日本ではこれとは逆の現象が起きている。たった一人で育児ストレスに追い込まれた妻はノイローゼになり、赤ん坊に暴行を加えたり、殺害したりする事件まで起きている。

日本の場合、子供ができたら多くの女性はいつの間にか妻であることをやめ、永遠の母親になるのだ。

なぜか机がないイギリスの子供部屋

イギリスの子供は静かな場所を探して勉強する。
「子供は子供、親は親」と割り切るイギリスの親。

日本の母親は夫のパートナーではなく、子供の召使いだとイギリス人は考える。受験前の子供のいる家庭ではテレビの音を小さくし、声をひそめて会話をする。「お父さん、静かに！」こう言うのは決まって母親だ。母親たちはどんなにクタクタでも夜中に起きだしては、子供のために夜食まで用意する。そして、それが子供に対する愛情とケアだと信じて疑わない。だが、これは日本特有の親子関係なのだ。

イギリスではほとんどの子供部屋に勉強机はない。子供たちは宿題や試験勉強を自分の落ちつける気に入った場所でやろうとするから、机をわざわざ部屋に置く必要もないのだ。

何よりイギリスでは、子供といえども勉強は個人の問題と考えられる。勉強をするかしないかは当人の責任であって、勉強しなくて受験で失敗したり、大学に行けなくても、それは子供の問題なのだ。

こんな考えはすべての面で子供を助けようとする日本の親の在り方とはちがっている。

だから、イギリスでは「勉強するから静かにしててよ」などと子供が言おうものなら、親は「それなら、おまえが静かなところに行け」となる。親は、それが勉強のためであっても自分たちのペースを調整したり、抑えたりして子供に合わせようなどとはけっしてしない。

そんなふうに育ったイギリスの子供たちは、宿題や勉強をする時に、家の中の静かな場所を探して本を開く。たいていは夕食後、使われることのないダイニングルームが勉強の場となる。広いダイニングテーブルに一人で、あるいは兄弟と一緒に宿題をする。問題につまり、分からなくなると年上の兄弟が見てやる。それでも手に負えないと、リビングにいる両親のところに行き教えてもらう。

両親にしても、子供が部屋にこもって何を勉強しているか分からないより、近くのダイニングルームで勉強している方が、子供の様子も分かるし、声もかけやすい。また、そこから家族の会話も始まる。

日本ではこれを「甘やかし」「自立していない」と認めない家庭が多い。子供が教科書とノートを持って母親のそばに寄ってくるのを見て、「自分の部屋でやれ！　何のために机があるんだ」と叱《しか》りつける父親を私は何度も見たり、話に聞いたりした。

だが、子供が安心できる場所で勉強をしようと思っているのに、部屋を与えたから、机を買ってやったからと、それを否定するのは身勝手な論理だ。こんな父親にかぎって、日頃から子供と接触していない母親まかせの単なる同居人であることが多い。子供の心理を理解できず、親として時間や空間を子供に提供したくない父親たちは、子供には部屋にいてほしいとやっかい払いしているにすぎない。

イギリスの親のように落ちつける場所で勉強しろとは言えないのだ。彼らは仕事で疲れた心と体を休める自分のテリトリーを犯されたくないのだから。

一方、イギリスの子供はキッチンのテーブルでもよく勉強する。仮にそこがうるさくてはかどらなければ、自分の部屋のベッドに腰かけたり、寝転がって問題を解く。または友達の家や図書館など家の外が落ちつくという子供は外出する。

子供たちは自分の意志で勉強をし、しない子供はそれなりの人生を歩んでいく。そんな考えをイギリス人は子供が小さい頃から言い聞かせ、生活態度の中で示す。

「日本人を見てると、夫婦はバラバラ。父親は透明人間。母親は自分の生活のすべてを子供のために投げ出している。そうしなければ、自分が冷血な母親だと思ってしまうのね」

イギリス人の主婦が、街で私に耳打ちした言葉だ。

彼女の指さす方向を見ると、ブレザーを着た受験生らしき男子生徒とその母親が仲良く歩いていた。その後ろから疲れた顔の父親が大きな紙袋を持って、二人を追いかけるようにトコトコついて行っている。

すべて家族単位――ファミリーユニットで考える日本の家族の中で、なぜか父親がいちばん低いポジションにいるのもイギリスとの大きなちがいだ。

犯罪の生まれやすい住まい

養鶏場と高層住宅の奇妙な共通点。

狭い空間から生じるストレスが暴力を生むのか？

最近日本で起こる凶悪犯罪の多くは家庭が舞台である。そして、それはまだ成長の途上にあるティーンエイジャーが何らかの形で事件にかかわっていたり、あるいは犯罪の中心だったりする。

それにしてもなぜ子供たちなのだろうか。

一〇代の子供たちがこれほど簡単に犯罪に結びつく、あるいは発作的に家族や友人を殺したり、唐突に命を絶つというのは異常事態である。

ところが今の日本でキレやすいのは子供だけではない。日頃はおとなしく、どちらかといえば真面目《まじめ》な大人が、日常の些細《ささい》なことをきっかけに、たちまち狂気にとらわれ、子供に暴力をふるい殺してしまう。

最近では子供や配偶者に高額な保険金をかけ、金のために家族を殺害する事件もたびたび起きている。今や日本人の倫理観やモラルの欠如や悪化は犯罪大国アメリカに迫る勢いだ。

移民や階級制度が残りいまだに貧富の差が激しいイギリスでさえ、日本ほどに親子が殺し合う事件は起きていないのに、これはどうしたことだろう。

離婚率の高いイギリスでは子連れで再婚するケースが多く、義理の親が血の繋《つな》がりのない子供を虐待《ぎゃくたい》したり、殺害するケースはある。けれども、このようなケースは親子の事件というより、再婚した本人同士に問題のあることが多い。男女の恋愛関係のもつれから子供を巻き込み殺人に発展するという感覚だ。日本の家庭内犯罪とは異質である。

そう考えていくと、最近の日本で起きている事件は日本特有の環境の中で生まれているのではないか、どこかで日本の住宅と深い関係があるのではないかと思えるのだ。

以前、イギリス人のセラピストが面白い話をしてくれた。それは「バトリーヘンハウス」と呼ばれる養鶏場の話だ。

ここではにわとりを一羽ずつ仕切られたゲージに入れ、ズラリと横一列に並べて毎日決まった時間に餌《えさ》を与え、卵を産ませる。にわとりたちは一羽入るのがやっとの狭いゲージの中で、くる日もくる日も卵を産むために生きていくのだ。

そんなにわとりに自由を与えようと、ゲージの中から適当に二羽をピックアップし、地面に放したとする。ふつうで考えると、自由になれたのだから二羽とも自分の好きな方向に走り出すと思うだろう。

ところが彼らは放された途端、たがいにケンカを始める。逃げ出すどころか、どちらかが死ぬまで攻撃を続けるのだ。

これに対して農場で放し飼いされて卵を産んでいたにわとりの中から二羽を囲いの外に出すと、彼らはあっという間にどこかに消えてしまう。ケンカどころか自分の行きたい方向に、迷うことなく走り出すのだ。

イギリス政府は一九六〇年代に吹き荒れたバンダリズムに対処するために、このにわとりの実験を重要視したという。

この時期、イギリスでは若者による住宅や施設の破壊が目立った。スプレーで建物の外壁に落書きをしたり、ベンチをハンマーで叩《たた》き割ったり、エレベーターを壊したりと街はみるみる荒れていった。

そんなバンダリズムの多くは政府が市民の住環境を改善するために作り続けた高層

住宅で勃発《ぼっぱつ》していることが分かったのだ。同じ公営住宅でも二階建てのタウンハウスでは高層住宅ほどの建物や施設の破壊は見られなかった。

当時のイギリスの高層住宅は玄関ドアを開けるとすぐ隣りの玄関があり、廊下や階段にいたるまでゆとりのスペースがなかった。だから、これまで二階建て長屋で暮らしていた子供たちは、見慣れた前庭もバックヤードもないコンクリートの閉鎖的な住宅の中でストレスをため、やがて精神のバランスを崩していった。

これについてイギリス人の建築家が語った言葉は忘れられない。

「よく誤解する人がいるが、彼らは貧しいから暴力的になって物を壊したわけじゃない。当時、高層住宅には一部ミドルクラスの人々も住んでいたんだ。たとえ、アッパークラスの家族があの高層住宅に移り住んだとしても、ふつうの家で暮らしていた時より暴力的になる確率は高い。高層住宅という家はすさんだ心を育てる温床だったんだ」

事実、新しかった高層住宅はスプレーと汚物でみるみる無惨《むざん》な姿になった。近隣の公園はゴミ捨て場に変わり、そこではケンカや殺人がたびたび起きた。高層住宅に住んだ人々は心の中に病巣《びょうそう》を作ってしまった。荒廃した精神は目に入るものすべてを破壊しようとする狂気に変わっていった。

やがて大人も子供も、お金のある人もない人も、ここでいったい何が起きているんだろうと不安にかられ始めたのだ。

政府はこの事態を深刻に受けとめた。そして、国をあげて建て続けた高層住宅を取り壊すことにしたのだ。荒れ果てた高層住宅は次々と壊され、瓦礫《がれき》の山がそこら中にできた。公営の高層住宅が建てられてわずか一〇年にもかかわらず、イギリスではこれを実行したのだった。

こんな即断を見ると日本はイギリスに比べ、あまりにも住まいを単純に考えすぎているのではないかと思える。

イギリスの子供には「いい人生」への選択肢は無数にある。
家が狭くても個性的な教育を実践するイギリスの親。

日本人と国際結婚をしているイギリス人の多くは、日本の家は「うさぎ小屋」というより養鶏小屋——「バトリーヘンハウス」のようだと考える。

狭い空間の中で家族が家族を監視し、つねに何かのノルマに向かって毎日同じように暮らし続ける。こんな話を聞けば、悪いのは住宅だったとなるはずだ。

そして多分、多くの日本人は空間にゆとりのあるイギリスの家に暮らせば、これまで無意識に感じていた狭小住宅のプレッシャーから解放され、のびのびした気分を味わい問題は解決すると思うだろう。

ところがイギリス人は、日本の子供が荒れているのも家族間で陰湿な事件が多いのも、すべてが住まいのせいではないと反論する。むしろ住まいに加えて親子のあり方、とりわけ教育の中に問題の核心があるのではないかと指摘するのだ。

「日本はまだ一四歳や一五歳のうちから親が将来の成功を強要しすぎる。子供は高校受験を前に、はずすことのできない勝負台に立たされるのだ。あれじゃ、気が変になるよ」

もちろん、イギリスの親も子供の教育や将来については頭を悩ませる。何でもかんでも放任主義で、子供自身にすべてを考えろと言っているのではない。ただ、彼らには子供以上に大切なものがつねにある。それは自分自身の人生であり、パートナーとの関係から生まれる毎日なのだ。だから、必然的に日本人より教育やしつけについて考える時間が少ないのだ。子供にはりつくように何から何まで心配したり、オロオロしたりという状況が生まれにくいのだ。

私がよく知るイギリス人の家族はロンドン中心部の１ＤＫのフラットに暮らしていた。

母親はハイドパークのそばにある中堅ホテルで働き、父親は失業中で時々夜間のみ近所のパブを手伝っていた。そして八歳になる小学生の娘。三人は天井が高い以外は日本のアパートと変わらない狭いフラットに住んでいたのだ。

母親の仕事は朝が早いため、娘を小学校まで送り迎えするのは父親の役目だった。ところが、彼は前の日に飲みすぎたり、明け方帰宅した時などは昼まで眠り続けた。そんな日は、娘は学校に行けず、リビングで一人テレビを見たり、本を読んだりしてすごしていた。

私は何度かこの家に泊めてもらったことがあったので、半ば驚きながら、その様子を見ていた。妻が家計の中心を担《にな》って、夫が育児や家事をやるのは欧米ではそんなにめずらしいことではないが、自分が少々眠いくらいで子供を一人放ったらかしてベッドで眠り続ける父親には疑問を持った。

娘は、昼になるとキッチンに行き、冷蔵庫から牛乳を出し、テーブルにある薄い食パンを二枚皿にのせて持ってきては、

「ランチを食べよう」

と、私にその一枚をさし出す。父親は娘にお昼を作りに起きてくるわけでもない。バターもつけないふにゃふにゃの食パンが彼女のお昼なのだ。娘は隣りのベッドルー

ムで眠る父親を起こさないよう、時々私にも注意する。

「静かに！　ダディが起きるとかわいそうだから、ドアはそっと閉めて」

私はただショックを受け、この娘が不憫《ふびん》になった。

ある時、友人である母親に差し出がましいと思いながらも、これでいいのかと思い切ってたずねてみた。すると彼女はきっぱりこう言った。

「たしかに学校は大切だけど、家でだって勉強は教えられるわ。私や彼が娘をサポートすればいいんだから。だから、子供が学校を休んで家庭ですごすことは悪いことじゃないのよ」

その言葉はこちらに反論の余地を与えないほど自信にあふれていた。

学校に連れて行くのが教育のすべてではない。そう言い切った彼女の言葉を軸に思い返してみると、娘は一人でよく本を読んでいた。マンガ、童話、テキストと一人リビングに座って、楽しそうに本の世界に浸《ひた》っていた。また、夕方頃から父親と二人で公園に行っては、絵を画《か》いたり、白鳥に食パンを食べさせたりもしていた。

そうやってすごしている彼女の顔は孤独のかけらもなく明るくて、日本の子供たちにはないおだやかさがあった。今、一五歳になった彼女は看護婦になりたいと思うようになっている。勉強は好きでも嫌いでもないが、何人かの親友に恵まれ、ボーイフレンドもできて毎日が楽しいと言う。

母親は昼すぎまで寝ている父親を無責任とはなじらなかったし、父親も食パンを丸かじりする娘を見て、「ランチぐらい用意しろ」と母親を責めはしなかった。

この家族を見ていると、日本人はあまりに既成の価値観や情報に「こうするべき」と縛られ、こざかしく生きているのではないかという気がする。ちなみにこの家族の家は今でも1DKのままだ。

イギリスでは家が狭くても自分の判断で個性的な教育を実践している夫婦は多い。そこで子供も親も幸せを感じ生きていく。つまり、家の広さと家族のあり方は関係ないし、どんな環境にあってもオリジナルな自分の考えを親も子も発揮する。

ところが、なぜ日本では同じことができないのだろうか。今の時代、ますます学校教育はその中身が薄れてきているのに、それでもまだ受験にしがみつき、受験こそは重要な人生の分かれ道だと多くの人が信じている。そして、あたかもチャンスは一度だけだと親も子も入試にかける。

イギリスでは行きたい大学にすべっても、そこで人生は終わりじゃない。この一五年間で専門学校の数は驚くほど増えた。公的な職業訓練校も充実している。

だからイギリスではたとえ念願の大学に落ちたとしても、次にやりたいこと、目指したい道が日本以上に容易に見つかる。そんな環境が子供たちに整備されているのだ。その結果、学校の成績が悪くても受験に失敗しても日本の子供のように敗北感や挫《ざ》折《せっ》感《かん》を抱え込むことがない。そんなストレスからくる怒りや殺意が家族に向けられる可能性は、日本に比べとても低いのだ。

日本では成功する人生の道はただ一つだけ。中学生の段階でそこにすすめるかどうかの判定が下される。そこですべったら後はない。

イギリスでは「いい人生」に到達する道は一つではない。無数にあるのだ。人生はどこからでも頂点に登っていける。親も子もそう思って暮らしている。

イギリス人たちは口々に言う。日本はティーンエイジャーがキレる条件が揃《そろ》いすぎている。狭くてプライバシーがない家。一人になりたくてもつねに家族の気配がついて回る。そんな中で勉強を頑張らなくては将来がないと思い込まされている。

イギリスの高層住宅のように、一度このシステムを取り壊さなくては一〇代の犯罪は止まらないだろう――と。

カギっ子のやすらげる家

イギリスではほとんどの家が共稼ぎ。子供の安全のためにも家の購入には環境などで万全を期す。

イギリスでは結婚したカップルはすぐに自分たちの家を持つと書いた。夫も妻も仕事を続け、なおかつ子供をすぐに作るとなれば、子供はカギっ子——“latch key kids”になる可能性が高い。このことは家を選ぶ時に外せない条件になる。

イギリスでは一二歳までは子供を一人にすることは違法とされている。だから親はベビーシッターを雇ったり、公営のデイケアセンター（学童クラブのような施設）を利用する。

万が一、子供が一人で家にいることが近隣の通報で発覚した場合はP.S.P.C.C.（児童虐待《ぎゃくたい》防止協会）や警察から警告が出され、それでも改善されなければ法廷で裁かれる。裁判の結果、子供に対する責任感が欠如していると判断されると、子供はしかるべき施設に連れて行かれる。親から引き離してでも子供の人権は守るべきという考えが基本にあるからだ。

だから夫婦はどんなに仕事が忙しくても、子供を家に一人残して働き続けることはできない。しかし、一二歳を過ぎると子供は学校への送迎者もつかなくなる。そしていよいよ本物のカギっ子になるのだ。

だからイギリスの夫婦はあらゆるケースを想定して一人になる子供の安全が守れる住まいを購入しなければいけない。

共働き夫婦に一貫して人気なのは、続き長屋形式のテラスハウスかタウンハウスだ。ゲイトから玄関までの距離は短いし、隣家と近いことが人気の理由だ。

次にデタッチトハウス（一戸建て）を買うなら用心すべき点がある。犯罪者から家中の様子をたやすくのぞかれる可能性のある大きな窓がないこと。木や森がそばにないこと。静かすぎないこと。家がメインの通りから奥まった場所にないことなどだ。いずれも家にいる子供を誘拐など犯罪のターゲットにさせないためである。

ただし、イギリスのカギっ子の環境は日本とは少しちがう。イギリスの女性は専門職についている人以外は圧倒的にパートで働くケースが多いのだ。だから母親は三時から四時ぐらいまでには家に帰ってくる。次に父親が五時から六時頃帰宅する。だから、子供が一人で家にいる時間はそれほど長くない。それでも親は万が一に備えて買おうとしている家の周辺の環境を吟味する。

通学路のチェックもその一つのポイントだ。家から学校までの道のりは安全か。遠すぎないか。危険な場所はないか。それには親子で歩いてみるのがいちばんと考える。

この道は車が多く危険とか、ここで横断歩道を渡るんだよとか、イギリス人の親は子供の様子を見ながら教えていく。まだ子供のいない夫婦は先のことを考えて歩きながら、狙《ねら》いを定めた物件を買うべきかどうか考える。

では、日本はどうか。ほとんどの日本の共働き夫婦は家を買う時、出産前なら保育園がもっとも心配である。まずは子供を保育園に預けること。その後のことについては子供が就学年齢に近づいたら考えればいいと思う。それより母親は購入物件のそばの保育園に空きがあるかどうか切羽詰まって調査する。そこに子供を預けられるのか、預けられないのか。日本の共働き夫婦の場合、家を手に入れる前の子供の問題といえば、それにつきるのではないか。いずれにせよ、考えるスパンが短く、どうしても目先のことに限定されてしまうのだ。

このような日本とイギリスの共働き夫婦の間ではもう一つ本質的なちがいがある。

キャリアや生き甲斐《がい》の問題とは別に、イギリス人の女性はパートでも専門職でも働き続けねばならない。

なぜなら、一般的にイギリス人の給与はとても低いからだ。

イギリスでは「アッパーエグゼクティヴ」と呼ばれる上層階級の最低ラインが年収二万五〇〇〇ポンドと言われている。日本円で約四〇〇万円、二三％の税金を引くと手取りで約三〇〇万円となる。大手企業の重役や政府の要人でさえ年収は五万ポンド、日本円で約八〇〇万円。トニー・ブレア首相の年収はこれ以下だと公表された。ちなみに大卒の初年度の年収は一万二五〇〇ポンド、何と約一六〇万円という安さである。イギリス人の給料はＥＵの中でも最低のラインであることはあまり日本では報じられない。

だから不動産は日本より安くても食べ物や服など生活必需品の価格はそれほど変わらないため、イギリスで暮らすことは日本よりはるかに条件が悪くなる。そして生活も質素にならざるを得ない。だからイギリスでは夫婦二人の稼ぎが必要になるのだ。

少ない収入のため質素に生活し、将来を見すえるイギリス人。

比較すると甘さばかり目立つ日本の若夫婦。


英語を教えて生計をたてる在日イギリス人はこう言った。

「ロンドンにもどった時、シティの証券マンになったケンブリッジ大学の同窓生に会ったんだ。ところが、彼はいばって『僕の年収は三〇〇万円もある』って言うんだ。ショックだったね。日本で年収三〇〇万円といえば三〇代の大卒の専門職ではあり得ない、とても安い給与だ。僕が英語を教えても、もっと稼げるよ。しかも、それがアッパークラスの年収だなんて。イギリスはなんと労働賃金が安いんだろう」

だからイギリスでは妻の収入も必要なのだ。家や車、海外旅行と、欲しいものを手に入れながら、なおかつゆとりある暮らしを続けたいとなれば、夫の二〇〇万や三〇〇万の年収では最低の生活すら維持できない。たとえ、福祉大国の恩恵で教育や医療が無料だったとしても、賃金の安いイギリスでは夫婦で働かなければ暮らしのヴァージョンアップは望めないのだ。

イギリス人がお金にシビアで、おいそれと消費しない理由がここにある。

だから時給五ポンドでベビーシッターを雇って妻の給与の半分をシッターに渡すよ

り、近隣と繋《つな》がっているテラスハウスで住人と仲よくつき合い、必要に応じて子供を見ていてもらった方が得だと考える人も出てくるのだ。

イギリスの新聞によると掃除人やベビーシッターなど家事労働者を雇う家庭は二七〇万世帯に上り、一世帯当たりの平均コストは年間三四九三ポンド（約五五万八〇〇〇円）とあるが、これはアッパークラスも含めた数字なので一般とは少しかけ離れている気がする。

最近イギリスではフランスや東欧からの住み込みお手伝い（オーペア）を家庭に入れるケースが再び増えてきた。家賃はタダ。そのかわり一日数時間、家事の手伝いやベビーシッターをしてもらい、その報酬としてわずかなお小遣いを渡す。

二〇年前、イギリスでのオーペアが今のワーキングホリデーのように日本の若者の間で一大ブームになった時、オーペアを雇うイギリス人は金銭的にゆとりのある裕福な人が多いのだと思っていた。まして、日本に比べると大きくて部屋数の多い家に住んでいるから、あんな風に赤の他人を家の中に住まわせることができるのだと。

だが現実はちがう。一般のイギリス人は生活に余力がなく部屋を提供する以外、お手伝いやベビーシッターを雇うことができない。イギリスでは日本以上に過酷な労働条件で家族を支えていかなければいけないからだ。

日本のように毎日の生活は夫の収入で何とかやりくりできるのに、高級車を買ったりエステやカルチャースクールに行くために妻が働きに出るということはほとんどない。妻が働かなければ、生活は成り立たない。だから、イギリスではカギっ子が多いのだ。

そんなカギっ子たちを守り育《はぐく》む家を、イギリスのワーキングカップルは長いスパンで考えて購入する。

日本では若い夫婦を援助するという名目で双方の親が金を出し、口をはさむ。時には新婚の二人に過分すぎる立派な家やマンションを買い与えて責任を果たしたつもりになっている。だから若い夫も妻もいつまでも自分の足で歩けない。

そんな丸抱えの豊かさの中で、自分で考え、人生設計できない若い夫婦がやがて親になり、子育てを始める。ところが自分が苦労していないため、子育てのポイントがよく分からない。まして自分の子供がカギっ子にでもなろうものなら、つねに同情を寄せ、どこかで不憫《ふびん》に思う。

子供は甘やかされ、何でも大目に見られることを知って、これをタテにしようとする。「クラスで流行《はや》ってる」「○○さんも買ってもらったのに」と言えば、親はNOとは言えない。程度の差こそあれ、基本は皆、同じ後ろめたさを持っているからだ。

日本では母親になったら、自分の生き甲斐や楽しみを追求することは悪である。まして夫の給料で生計をたてられるのに子供をカギっ子にしてまで何で働きに出るんだと、古い世代の人々は昔の価値観を振りかざしてプレッシャーをかける。そんな周辺の空気に若い母親はいきなり子供を物によって満たし始める。子供の要求のすべてを受け入れようとする。

その結果、夫婦合算で余分に入ってくる金は無意味なものに使われ、結局あぶくのように消えていく。そんな環境の中で子供たちは育つから、いともたやすく消費文化に染まるのだ。

イギリス人の夫婦は若い頃から自分たちの夢に向かい二人で知恵を出し合い行動を起こす。

一方、イギリスのカギっ子たちは、質素な暮らしの中で両親が力を合わせ手に入れ、関わり続ける家に暮らしながら作り出してゆく人生のあることを学んでいく。そんな家にもどってくるということは、たとえ迎えてくれる家族がいなくても、子供にとってやすらぎの始まりになる。

二世帯住宅の裏側を見ると

イギリスの親は子供が一八歳になると自立を促す。自分たちは老後の面倒をみてもらう気もない。

東京の住宅地を歩いていると、門柱に二つの名字が並ぶ二世帯住宅が近頃いちだんと増えたことに気づく。

来日するイギリス人の多くは、これを別姓結婚の家だと勘違いする。ところが、目の前の建物が二世帯住宅だと言うと、

「こんな小さな家にどうやって二つの家族が暮らすんですか？　日本人は立ったまま眠るのか、それともテクノロジーの発達で家に特別な仕掛けでもあるんですか？」

と、真顔でたずねてくる。こちらも何と説明していいのか分からなくなり、黙ってしまう。

そもそもイギリスでは親子が別々に家庭を持っているのにあえて同居することはとても珍しい。

イギリスで「スリー・ジェネレーション・ハウス」と呼ばれる親、子供、孫全員が同居する家は、ロンドンなど都市部ではほとんど皆無で、地方の古い農家などでまれに見られる程度だ。

そもそもイギリス人は、たとえ親子といえども両者はまったく別々の独立した人間だという意識がある。日本では一度子供を持つと、女性は生涯ずっと母親のままでいる。子供が結婚してからも旅行やレストランに行くたびに金を出してやり、夫婦のことに口をはさみ、かいがいしく孫の世話をしながら、時には息子や娘を結婚相手からとりもどそうとさえする。子離れできない母親たちの極端な行動は当たり前のように起きている。

在日イギリス人の主婦がとても興奮して、ある日本人の新婚夫婦のことを話してくれた。

「日本人の若い夫婦がいて、二人は大学を出て職場で知り合った後すぐに結婚したのよ。まだ未熟だけど、とても仲よくて最近その夫婦に子供が生まれたの。ところが、ワイフ側の母親は『かわいい孫ができたんだから離婚して実家にもどってらっしゃい』って会うたびに言うんですって。何て自分勝手なのかしら。クレイジーだわ。そんな母親とはしばらく距離をおいたらって彼女に言ったら、そんなのママがかわいそうって怒るのよ」

イギリス人には、日本のこんな母と子の関係がまったく理解できない。

それはイギリスでは親子の依存関係はありえないからだ。どんなに裕福な愛情あふれる家庭でも、イギリス人は子供が一八歳になると家から出ていくよう自立をうながす。親はそれまで子育てに費やした時間やエネルギーに区切りをつけ、今度は自由を手に入れようとするのだ。

独立した子供に対しては、いつまでも独身を貫こうが、結婚して子供を産もうが、親は一線を引く。何があってもあくまでその子供の人生だから親がこれ以上責任をとることはないし、口出しもしない。これからは夫婦で子供抜きの第二の人生をエンジョイしようと計画を練るのだ。

イギリス人の女性に四〇代、五〇代でとても生き生きしたエネルギッシュな美しい人が多いのは、再び青春に立ち帰った喜びからだ。

そのかわり、子供を家から独立させたら、子供に対しても老後の面倒を見てもらおうなどとは考えない。子供同様、自分たち夫婦も独立した一人の人間だという意識があるからだ。だから体が動くかぎりは高齢になっても自分のペースで生活を続けていく。そして、いよいよ自力で暮らせなくなったら、ナーシングホームなどの老人施設に移る。そこで看護婦やヘルパーの手を借り暮らしてゆくのだ。

当人も、子供たちもそれがふつうだと思っている。

東京に住むイギリス人がこんな話をしていた。彼には、はるか遠いロンドンで一人暮らしをしている七五歳の母親がいる。高齢な上に母親は足が悪く、いつも杖《つえ》を使って生活していた。

彼は兄夫婦と一緒に母親を訪ね、これ以上一人では心配だから、どちらかと一緒に暮らさないかと持ちかけた。それに対し母親はハッキリ答えたそうだ。

「絶対に嫌。私は今のままがいいからそんな煩《わずら》わしいことは提案しないで」

これまでは子供たちの母親であった彼女が、どちらかの息子と同居することによって子供のように心配される。時には世話を焼かれ、子供から自分の暮らしに口をはさまれることが耐えられないと言うのだ。

「これまで自由気ままな毎日を楽しんできたのに、いきなり子供が私のボスになって力関係も逆転するんだわ。おお、いやだこと」

二人はこの老親のかたくなな返事に引き下がるしかなかった。

ちなみに彼女の住まいはハイドパークのそばにある高級住宅地。ベッドルームが四つもある大きなタウンハウスだ。そして、二人の息子はそれをあてにすることもなく、それぞれロンドンの北と東に家を買った。

イギリスには二世帯住宅はほとんどない。日本の二世帯住宅は日本的依存社会の象徴と思える。

日本ではどうか。日本では親はいつまでも子供の面倒をみるし、子供も成人しても親の家にほとんど無償で住み続ける。「親が淋《さび》しがるから」をキーワードに、一度は独立して家を出ても再び家に舞いもどったり、あるいはいつまでもダラダラと一〇代と同じ暮らしを続ける。ごはん、風呂《ふろ》、洗濯はすべて母親が引き受け、わずかな生活費を入れて、またはそれすら無視して、おんぶにだっこで両親のもとに居座り続ける。これについては「パラサイトシングル」という言葉が流行語にもなり、「パラサイト的」(寄生する)生き方が注目された。

そうして親はこのダラダラ同居を引き受けるかわりに、子供が結婚し、新しい家庭を作ったとしても一緒に住んでくれることをひそかに期待する。子供たちと一緒なら老後、連れに先立たれ一人になっても不安はないし、体が動かなくなっても面倒をみてもらえるのではないかと思うからだ。

それには二世帯住宅が手っ取り早い。一つの家に二つの家族が住みついてしまえば、再び離れることはないのだから。

こんなふうに日本では親子がどこまでも依存し合おうとする。

ある新聞に特別養護老人ホームなど「入所施設」で亡《な》くなった人の割合が出ていた。イギリスは一三％、日本ではわずか二％である。

日本ではいまだに「親の面倒をみなくては」「老人ホームはかわいそう」という意識が強い。十分自覚を持って一人で暮らしている高齢者に対してですら、「こんにちは」のかわりに「お淋しいでしょう」となる。どうして年をとっているというだけで、自活して暮らす人を「淋しい」とか「かわいそう」という目でしか見られないのか。

イギリスでは公園や町のカフェで一人で時をすごす高齢者はたくさんいるのに、日本では好きなカップヌードルをテーブルに並べて食べようとしても、楽しみにしていたテレビ番組を見ようとしても、高齢でしかも一人暮らしであれば、うっかりそんな様子を他人に見せられない。

そんな姿を見られたら最後だから。すべてが満たされていなくても、当人がそれを自分の暮らしだと割り切っているのに、周囲がみじめでかわいそうと決めつけるのだ。

こんな社会では、一人で生きる高齢者を最後には変わり者とさえ形容するかもしれない。つねに人が寄り集まってワイワイやっていないと普通じゃないと言わんばかりだ。これこそ高齢者を一人の人間として認めていない証拠である。

イギリスでこんな奇妙な話を聞いた。

とても金持ちで気の強い老女がロンドンの郊外にベッドルームが二〇以上もある城のような大邸宅に暮らしていた。

ところが老女は体調が悪くなり、この屋敷に一人では住みこなせなくなったので娘夫婦と同居した。ところがその直後、娘は交通事故で死んでしまった。老女はそのまま残された娘の家族、義理の息子と三人の孫にそこで暮らし続けることを許可した。老女が孫をとても愛していたから、そのまま住んでいいと許したのだ。

そうして一年後、老女も病気で他界した。弁護士が財産分与のために遺言状を確認したところ、その屋敷を血のつながった三人の孫に相続すると書いてあった。

ところが、亡くなった娘の夫、つまり三人の息子の父親には何一つ残されていなかったのだ。その老女は義理の息子には何の責任も感じていなかった。

すでに成人している三人の息子はその遺言状にもとづき、等分に屋敷の権利を分配した。そして、父親に向かって、

「おばあ様の遺言状には、父さんのこの家に住む権利は書かれていない。僕らは成人した大人だから、この先は親子別々に生きていきましょう。父さんも自分で生活してください」

と、言ったそうだ。

父親はとても驚いたが遺言には逆らえない。結局、彼はロンドンの汚い安アパートに移り住み、息子たちはそれぞれの妻と屋敷に暮らし続けているという。

何ともおそろしい話だが、実はこれはフィクションでなく、イギリス人の友人が直面した驚くべき実話なのだ。彼はその息子たちがとった行為を野蛮だと罵《ののし》った。ところが、大半のイギリス人は「そんなこともあるさ」と、この話にさして反応しなかったそうだ。

そのことに友人は再び衝撃を受け、こう言った。

「この実話でイギリス人がいかに家族単位(ファミリーユニット)で動いてないか分かるだろ。こんなイギリス人に日本の二世帯住宅の話をしたらみんな気持ち悪がり、日本に生まれなくて本当によかったって言うんだ。日本では親は子供を離したくない、子は親の恩恵を捨てたくない。だから玄関やキッチンが別々で狭い敷地につめ合って暮らす中途半端《はんぱ》な二世帯住宅ができる。あれを冷静に見ると全員が一緒に暮らしたいのか、それとも線引きしたいのか分からない。まるで不動産がらみの『条件結婚』のようなものだよ。イギリス人だけじゃない、欧米人はほとんどそう言うさ。だいちなぜ、そこまでして親子がはりついて生きていくのか。はりつく相手がなぜ永遠に親であり子供なのか――分からないね」

私はイギリスで二世帯で同居している例を一つだけ知っている。東京ドームの五倍の広さの牧草地を持つ酪農家族だ。農場の入口に建つ親世帯の家は、今すぐホテルとしても経営できるほどの部屋数を誇るファームハウスだ。そこに両親は二人だけで暮らしている。

息子夫婦はその母屋《おもや》から歩いて一五分程かかる丘の中腹の小さな小屋に住んでいる。そこは機械や道具を保管する倉庫だったので、広さは小さなワンルームマンションと同じだ。彼らはその小屋を自分たちで改造し、小さなベッドとダイニングテーブルを置き、楽しく生活している。

私はもしやと思い、彼らにある質問をした。

「この小屋の家賃を親に払ってるんですか？」

友人である夫婦は驚いて答えた。

「当然よ。私の友人の中で親の家に同居したり、親の不動産を利用させてもらってお金を払わない人なんて誰一人いないわ。私たちは、この小屋の改造費に二〇〇万円かけたけど、それも親とは関係ないことでしょう。私たち夫婦は成人して仕事もしてるのに、どうして親が私たちにタダで部屋を貸す必要があるの？」

私は彼女の質問に対して何も返すことができなかった。

彼女の言葉に「その通りよ」と同調したい。けれども、日本の親子事情はイギリスとはちがうのだ。

日本で息子夫婦を物置同然の小屋に住まわせ家賃までとれば、その親はとても冷酷でケチだと多くの人が罵ることだろう。

日本で波風立てずに生きるには、生涯、適当に身内に頼り続けることが最善の道なのかもしれない。そう考えると、日本の二世帯住宅こそは典型的な依存社会の象徴なのだと思える。

おわりに

ゆるやかに豊かな時の流れるイギリス。「ラットレース」のようにがむしゃらに走り続ける日本。

四〇代のイギリス人がこんなことを教えてくれた。

「意外だけど多くのアメリカ人ビジネスマンは、定年退職したらイギリスに住みたいと思っている。三〇代、四〇代でバリバリと仕事をしてステイタスや経済力を手にしたタイプにこの傾向が強いんだ」

彼は、私が一九歳で初めて渡英して以来、イギリスに魅《ひ》かれ続け、東京にイギリスのコテージに似せた家を建てた今でも、いつかはイギリスに暮らしたい夢を持っていることを知っている一人だ。

日本人と国際結婚している彼は、長年、東京に暮らしながら日本人を観察してきた。

そして気づいたのだ。日本人がイギリスにこうまで魅かれ続けるのは、アメリカ人にも共通のある理由によると――。

それは彼らが物欲にまみれ、あふれる物に囲まれて長い間にわたって暮らし続けてきた疲労のようなものだと。

生粋《きっすい》のロンドンで生まれ育った彼でさえ二〇年近く東京に暮らしていると、自分が日本人のようになったのではないかと不安にかられる瞬間があると認める。

たえず目に見えないスピードに背中を押され、もっと新しいもの、もっと珍しいこと、もっと便利な暮らしを手に入れるために働き続ける。家に帰りつく頃には疲労こんぱいしてベッドに倒れこみ、泥のように眠る。

街を歩く自分の視線はたえず何かを探してキョロキョロと落ちつきがない。つまり、彼はイギリス人であるのに、東京の中で物欲に走り、働くか、寝るか、買うかの毎日を送っているというのだ。

「ところが、こんな僕でもイギリスに帰るとピタリと妙な心臓の高鳴りが止まるんだ。一瞬にしてだよ」

まずイギリスでは日本のような人をせきたてる感じがない。世の中のペースはまるで止まったようにゆるやかなので走る必要がない。そこで見る街の景色は子供の頃とさして変わっていない。この街を離れて二〇年以上の時がすぎているのに、イギリスはいつも同じなのだと気づく。

「そこで次第に我に返っていくわけだよ。たとえば、『あんなに家族との時間を削ってまで働く必要はなかったな』とか、『毎日の生活が送れるだけの収入があればそれでいいんだ』とかね。日本で僕は何かにとりつかれていて、イギリスに帰るとその魔法が解けていく気がするんだ」

ところが、そんなペースもいったん日本に帰ってくると、元の木阿弥《もくあみ》になってしまう。

ただがむしゃらに働き、欲しい物をむさぼるように買い、手に入れていく。そのために全員がいっせいに競争し、走り続ける。イギリスではこんな現象を「ラットレース」と呼ぶ。こんなレースに、彼は日本にもどるなり自動的に組み込まれてしまうのだ。

再び走り始めると、一人取り残されないようにどこまでも頑張り続けなければいけない。

そんな暮らしの中で息切れしている人が多いからこそ、そのストレスが物を買う行為につながっていくのだ。短絡的に、衝動的に抑えきれない物欲にかられ、いつまでも本質は満たされない。

そんな日本人や、日本と同じペースの中で生きるアメリカ人がイギリスに強烈な憧《あこが》れを持つのは、日本やアメリカにないもののすべてがイギリスにあるせいだ。

イギリスの美しい街並みをながめると、連なる家々に深い伝統や歴史を感じる。また、田舎のB&Bに泊まると古いながらも丹念に手をかけて飾られた客室に、日本のわが家はどうだったかと思い返す。生活習慣にしても同様だ。

なぜ日本人はイギリスに関心を寄せるのか。

そこに我々が求めていた暮らしがあるからだ。

以前、私はロンドンで開催された環境保護団体の会議に某日本企業の世話役として同行したことがあった。その会議で配られたパンフレットは分厚いオールカラーで、とても立派なものだったが日本に持ち帰るには重く邪魔だった。

私は会議終了後、企業の方々からロンドンの庶民的ストリートマーケットを案内してほしいと頼まれていた。そこで会場を出た私は、マーケットに向かう途中のリバプールストリート駅で他の人に分からないよう、荷物になっていたそのパンフレットをホームのゴミ箱に捨てたのだ。そして一行を連れてマーケットのあるショウディッチへと向かった。

身軽になった私は背広姿の日本人ビジネスマンと一緒に、脚のとれたテーブルやボロ布と見まがう古着を並べて売っているストール（露店）を見て回った。

そこではインド人やパキスタン人の買い物客が台の上のこぼればかりの菓子や果物、そして文具を物色していた。どれも百円均一的安さだ。

その時、後ろから聞こえる呼び込みの声に耳を疑った。

“Japanese brochure, it's very unusual!”（日本のとても珍しいパンフレットはいらんかねー）

その声の方向を見ると、そこには私がリバプールストリート駅でゴミ箱に投げ捨てた例の分厚いパンフレットを持ったイギリス人の中年男が立っていた。何と彼はそのパンフレットを売ろうとしていたのだ。

事の成り行きを同行した日本人に説明したところ、彼らはこのイギリス人の廃品収集力にいたく感動し、彼の写真を撮りたいと言い始めた。そのイギリス人に皆の希望を伝えると、

「これは盗んだんじゃねえ。たまたま駅のホームで拾ったんだ」

と、彼は顔を青くし、私たちの前から走り去ってしまった。その時ですら、彼は両

手でしっかりとゴミ箱から拾ったパンフレットを抱き抱えていた。あの広いショウディッチのマーケットの片隅で、私が捨てた日本語のパンフレットは誰かの手に渡り活用されているかもしれない。これこそがイギリスのもう一つの流通なのだ。

日本でこんなことはありえない。日本人はたえず物を買い、家中がたくさんの物であふれて不快だから、再び物を捨て、リサイクルを考える。それでも物は一向に減らない。

そんな日本人は使える物が道ばたに落ちていても拾うどころか、街が汚くなる、さっさと収集に来いと行政を罵《ののし》る。これが普通なのだろうか。

イギリスで何かを見て気づいたり、興味を持つ時、こんなふうに気持ちの半分ではたえず日本を振り返り、これは何だろう、このちがいがいったいどこからくるのか、深い疑問を持つ人は多い。

だから日本ではイギリス関連の出版物が売れ続け、人々は疑問の核心をつかもうとするのだ。

この本を書いたのは、人の暮らしの中心である家を丹念に解剖することによって、そんな両国の根底に流れる価値観のちがいが見えてくると思ったからだ。

東京都下にイギリスの古いコテージを参考に一軒の家を建てた私は、再び家づくりを通して自分のイギリスに対する憧れを分析する機会を得た。

建築の最中も部材探しに疲れ、「これがイギリスであったなら」と何度も地団駄踏んだが、施工《せこう》業者の緻密《ちみつ》な作業に「やっぱり日本でよかった」と胸をなで下ろしたのも事実である。

日本は給料が高く、イギリスは安い。そして日本食は健康的でイギリスの料理はハイカロリー、しかも大味でおいしくない。日本のシャワーは水圧が強く爽快《そうかい》で、イギリスでは水が少ししか出ないため体を洗うのに時間がかかる。

一つ一つのポイントを比較してみると、むしろイギリスは日本に比べいい点が少ないのではないかとさえ思える。それでも多くの日本人がイギリスを豊かな国だと認め、ほめたたえる。

イギリス人建築家はこう言った。

「戦前までは農業が発達し、歴史があり、物がなく、質素な暮らしを続けてきた日本の環境はイギリスにとてもよく似ていた。ところが、今や日本は小さなアメリカだよ。かつて日本にはすばらしい伝統があったのに、人々はそれを忘れてしまっている。だから今の日本の家や暮らしの中には何もないんだ」

戦後、日本は急激な経済成長をとげた。その変化はあまりに急速で、人々はそれに追いつくのがやっとだった。

決定的にイギリスとちがったのはこの点だ。イギリスは時間をかけゆるやかに発展してきたため、人々は新しい情報をとり入れながら、本来の暮らしを維持することができたのだ。

イギリス人の日記を読む時、一〇〇年前の人々の暮らしに対する考えと今の考えとではあまり差はない。つまりイギリス人は一〇〇年前も今もほとんど同じペースで生活しているのだ。

家とは個人の暮らしが集約される舞台だ。
イギリスの家には日本人が捨ててしまった暮らしの知恵が残されている。

日本は一〇〇年どころか、昭和三〇年代に生まれた私の目から見てもたった四〇年で何もかもがまったく変わってしまった。

子供の頃、私は母と薪《まき》をくべて火を起こして風呂《ふろ》に入っていた。一間しかない借家に家族全員で暮らす同級生がたくさんいた。小学生の頃、カラーテレビはごく少数の金持ちの家にしかなかった。

そんな貧しい日本がむくむくと立ち上がり、急激に経済大国になる過程のすべてを目《ま》の当たりにして育ったのが今の四〇代である。日本人の暮らしがいかに急激に変わってしまったかを自分の実体験として知っている人々が、家づくりから子育て、そして仕事と、現在の日本で責任ある局面に立たされているのだ。だからこそ、これから先の生き方の指針がほしいのに、今の日本にはそのかけらも見当たらないとうろたえる。

日本の街中から消えてしまった古い木造家屋の中には、そんな貴重な暮らしのエッセンスが保存されているはずだった。東京の下町、根津や谷中《やなか》を歩くと、築年数のたった貴重な昭和初期の住宅が残っている。私たちはその窓や玄関の前に立つと、中が一体どうなっているのかのぞいてみたい衝動にかられる。

これこそは、イギリスの古い家の窓辺にたたずむ感覚と同じなのだ。そこにはかつての貧しくとも人間的で工夫に満ちた日本の生活が残っているような気がする。それを確かめ、それに一瞬でも触れたいと思うのだ。それこそが日本人が伝承してきた暮らしの中の知恵であり、感動だから。

そんな場所を訪れるたび、日本もいいな、捨てたもんじゃないな、と思う。

ところが、いったんそこを離れてしまうと、同じような感動に再び遭遇することは難しい。なぜなら日本人は過去の暮らしが投影された古い建物をどんどん取り壊し、新しいビルに建て替えてしまったからだ。それが日本の大きな損失と気づかないまま。

一方、イギリスのパブで暖炉の前に腰かけてラガーを飲む時、フッと顔を上げると、重厚なバーカウンターの周囲に精密な模様が彫られていることに気づく。精密なその木工細工はかつての職人技が生きてリッチで歴史的なテイストにあふれている。そんな空間でわずか四〇〇円程度のラガーを飲んでいる自分は何と幸福だろうと満たされていく。

そしてこの感動は続く。パブを出て、街中を歩いても、ホテルに戻っても、イギリスでは何かがずっと続いている。日本のように区間限定ではないのだ。

雨風にさらされた公園のベンチには故人の遺志が含まれ、改装されずクラシカルな雰囲気を残したままの駅のドームは、あちこちが傷《いた》んでいても子供の頃映画で見たスタイルとまったく同じだ。

表通りから一本裏に入っただけで広がるレンガ造りのタウンハウス。クレッセント(三日月型)にデザインされた玄関ポーチ。手のかかりそうな美しいあのフォルムは、かつてイギリス人がこよなく愛したスタイルだった。それを人々は受け継ぎ、誰も手を加えようとはしない。

パブで見つけた感動は、イギリスの津々浦々まで歩き回っても同じレベルでつながっている。都会でも僻地《へきち》でも古都でも統一された景観や街並みの中に脈々とつながる一本の価値観が見える。それがイギリスらしさであり、あの国がかもし出す個性なのだ。それを日本人は肯定し、暮らしの中にとり入れようとする。

「ああ、人間の暮らしは本来こうあるべきだったんだ」

私たちはイギリスを訪ね、イギリス人の暮らしに触れるたびにそう心の中で繰り返しつぶやくはずだ。

いくらイングリッシュガーデンを作っても、今の日本でここまで出来上がった消費文化を壊し、かつてのスタイルを再びとりもどすことはもう不可能かもしれない。けれども、そんな現実とは裏腹に、買って捨ててまた買い続けるこの消費文化を抜け出し、日本人は新しい生き方を始めたいと、始めなくてはと思っている。

だからこそ私たちは過渡期である今、イギリスを訪れ、あの国の中に息づく生活に触れながら、どこかで崩れそうになっている暮らしのバランスを保ち続けようと試みるのだ。

来《きた》るべき高齢化社会に向けて、個人の暮らしはますます重要になってくる。会社から家庭へ視点を移した時、そこに得られるものが何もなかったなら、私たちは人生の半分を空《むな》しく生きていくことになる。家とは個人の暮らしが集約される舞台だ。高齢者が一人で厳しく孤独と共存しながらも最後まで人間らしく生きるイギリス。

そんなイギリスの家こそは日本人が今、もっとも触れたい、のぞきたい、知りたいオリジナルな考えが詰まっている場所だと確信する。このびっくり箱を開けずして人生を通り過ぎていくことはあまりにももったいない。本書の中からそのエッセンスのいくつかが読者の方々に伝われば幸いである。

なお、この本は数多くの資料と取材をもとに書き上げたが、引用したエピソードの大半は三〇代から四〇代のミドルクラスのイギリス人の実例をもとにした。階級制度の残るイギリスでは住まいに対する考えや関わり方も労働階級からアッパークラスまで大きな差がある。ひとくくりにできない社会構造がある中で最大公約数に焦点をあてた。

また、世界的傾向として若者は中身や個性よりルックスやブランドを重視している。このことはイギリス人の若い世代も例外ではないことをつけ加えたい。

しかも、この本で描いた「イギリス人」という記述とは異質のイギリス人が増えている現状もある。彼らはクレジットカードを持ち、ショッピングに熱狂する。今やロンドン中心部の大手ストアでは深夜一二時まで店を開けているし、チェスターやスウィンドンのアウトレットは目の色を変えて買い物する人々であふれ返っている。その光景は日本と同じだ。

最近、イギリスに行くたびに街中が商業ベースに染まっているように見えることがある。ある時期を境に急激に首都ロンドンも変わり始めた。一ポンドショップやアウトレットの出現と共に人々の暮らしに物が増え始めたのだ。

「質素で豊かな」イギリス人も今、ターニングポイントに立たされているのかもしれない。

ただし、これらの現象がまだまだ少数派だからこそ、私の目には印象深く映るのだ。

“British people are stubborn” と彼らが自らを誇るように、イギリス人の頑固さはそのライフスタイルを守り通すことにおいて筋金入りだ。

私は一〇〇年後も変わらない彼らを信じる。

これはイギリス「礼賛《らいさん》」や「信奉」などではけっしてない。あまりにも劇的な日本社会の変化を自らの生活として受け入れてきた昭和三〇年代生まれである私の、ささやかで切ない唯一《ゆいいつ》の「抵抗」なのである。

なお、この原稿を書くに当たっては、恩師リチャード・クレイドン氏に長きにわたって貴重なアドバイスをいただいた。氏の協力のもとでイギリスの住宅事情の数々を整理することができ、心から感謝している。

最後に、本書の企画をひらめきを持ってすすめてくださった編集者の張山耕一氏と、それを受け、本書の刊行を即断してくださった大和書房の南暁社長には大きなチャンスを与えてもらった。

この場をかりて深くお礼申し上げます。

二〇〇〇年　晩秋　東京武蔵野《むさしの》にて　井形慶子

文庫版あとがき――「古くて豊かなイギリスの家　便利で貧しい日本の家」それから

東京都下に自分の理想とするところの家を建ててすでに四年という歳月が過ぎている。にもかかわらず、今でも東京の街を歩いていてオープンハウスの旗が立っていると迷わず入っていく。チラシを渡され価格や間取り図を見ながら未知の部屋を眺める楽しさや興奮。これは一体どこから来るのだろうと思いつつ、しばらくすると急に気持ちが冷めていく。「もし、ここに自分が住んだなら……」という夢が描けなくなるからだ。

「ここは素晴らしく眺めのいいリビングですよ」と営業マンに言われ窓を開けると、いきなり電信柱が現れ、その向こうに雑居ビルが見える。この景色のどこが素晴らしいのか、首をかしげていると営業マンはビルと住宅の間に広がる空の果てに富士山が見えるのだと興奮する。

確かにはるか彼方《かなた》に白い小さな富士山が見える。よく見るとこの家のチラシ広告にも「晴れた日は富士山が見えます!!」とうたってある。

けれど、視線が霊峰に行き着くまでには視界を遮る電柱や看板やビルや色とりどりの住宅があるのだ。それがどんなに醜悪だと感じても、雑然としたマイナス込みの眺望をありがたがらなければいけないのか。家に関して私たちは何と多くの問題を丸飲みし、あきらめてきたのだろうか。

思い返せば私がイギリスに強く魅《ひ》かれた原点は、一九歳で初めて彼の国を訪れ、訳もわからずヒースロー空港から地下鉄ピカデリーラインに乗って、パディントン駅に着いた時の衝撃だったと思う。表通りに出るべく、重いリュックを背負って階段を一歩、また一歩と昇りつめていった。地上に出て顔を上げた瞬間、私の周りには夕暮れに染まるロンドンの古い家並みが広がっていた。

今にも黒煙を吐き出しそうな屋根の上の煙突群。映画のセットさながらの黒光りするレンガの壁と黒い鉄柵が流れるように通りの彼方まで続いていた。

「こんな中世の舞台のような街に人が住んでいる。」

これがまぎれもない私のイギリスに対する第一印象だった。「歴史」「伝統」「秩序」、学生時代、飽きることなく眺めていたイギリスの写真集と同じ景色がそこにはあったのだ。

声も無く見とれていると、目の前の家のドアが開き、そこから人が出てきた。それは意外にもインド人の親子だった。二人は穴のあいたジャージ姿でいかにも貧相に見えたが、花束を持つ少女は、父親と連れ立ってどこかに出かけることに嬉《うれ》しさを隠しきれない様子だった。二人の家の窓には、白いレースのカーテンがかけられ、窓の下にはきれいなゼラニウムの花が咲いていた。

と、その窓からサリーをまとった母親がひょっこり顔を出し、「遅くならないようにね」と手を振っていた。

裕福な人も貧しい人も外国人も高齢者も誰でも豊かな人生を作ることができる。その土台に家があり、街並みがある。

イギリスに通い続け、私がこんな確信を持った原点は、イギリスに足を踏み込んだ時目に映った光景にあったのかもしれない。

あの時、ドアの向こうから現れたのが高貴な英国婦人であったなら、イギリスは自分には無縁の理想の国だと思ったことだろう。

本書は多くの意味において私のターニングポイントになった作品でもある。

「イギリスのいい部分を描くことに意味がある」との、初出の大和書房、南暁氏の一貫したアドバイスによってその後のイギリスに関する数々の著書はここから「はじまり」となった。だが、イギリスのいい部分を突き詰めることは、裏を返せば日本が抱える様々な問題や歪《ゆが》みを直視することでもある。

「つくづく日本が嫌になった」

最近、若い世代の読者からのこんな手紙も増えている。だからこそ私は、イギリスの豊かさがどうやって育《はぐ》まれてきたのか、これからも描いていきたいと思っている。

――日本の家は賢すぎる！　便利で機能的であればそれでいいのか。イギリスの美しい家並みの向こうに私たちが忘れかけているゆったりした暮らしが見える――

初出本の帯に込められたメッセージに本書刊行後は、予想を上回る反響が続いた。その中でもとりわけ建築家、工務店経営者、ハウスメーカー、都市プランナー、銀行関係者、行政に至るまで、住宅産業に従事するプロの方々に広く読まれたのは、その背景に「日本の住宅も、街もこのままでは衰退の一途をたどる」という切実な焦燥感があったからだ。

ある国会議員が言った「日本はスクラップアンドビルド、家の使い捨てを本当に辞めてヨーロッパのような豊かな街を作らなければ、私たちの人間らしさは破壊されてしまう」という言葉も強く心に残っている。

昨年、日本政府は街路樹を植え、屋根の色、壁の色を統一し、欧州並みの景観を日本に定着させようとする「景観法」を二〇〇四年度中に施行する方針を発表した。

繰り返すが、誰にとっても家は人生の土台である。そんな大切な家を取り巻く街も、そこに立ち並ぶ店も、学校もどれ一つとして切り離して考えることはできない。目先の利益に翻弄《ほんろう》され乱開発に流されてきた日本が、遠い未来の街を見据えるなら、私たちは必ず豊かな国の住人になれるだろう。そんな可能性を切り捨ててはいけないのだ。

刊行後、これまでにジャンルを越えた数え切れないたくさんの貴重な出会いもあった。解説を書いていただいた蟹瀬誠一さんもその一人である。テレビで観《み》る以上にダンディで、ジャーナリストとして世界を渡り歩いてきた人独得の枠のない語らいにとても勇気づけられたことをおぼえている。

また、私にとって思い出深い本書の文庫化にあたっては、新潮社の庄司一郎さんに細かくお世話になった。子供時代をイギリスで過ごした彼が、豊かな家のあり様に目を留めてくれたことで、本書はさらに多くの人の目に留まる機会を得た。

この場を借りて心よりお礼申し上げます。どうもありがとうございました。

二〇〇四年四月二〇日　　　井形慶子

解説

蟹瀬誠一

井形慶子さんと初めて食事をしたのは、眼下に東京の夜景を一望できる六本木の高層ビル最上階にあるレストランだった。小柄でもの静か。不思議な魅力を持った女性というのが私の第一印象だったような気がする。どこか捉《とら》えどころがなくスピリチュアル（霊的）なものさえ感じられたからだ。しかしやがてグラスの氷が解けるようにその理由がわかった。彼女の雰囲気には英国が持つ自然な深みと共通しているところがあるのだ。その彼女が英国人の家と街に対する思いを通して人間がほんとうに幸せに生きるために必要な価値観をまとめたのが本書である。

都市といえば、日本の場合はまず道路やオフィスビルなど都市機能が行き届いているかどうかという発想が最初にくる。家の場合もそうだ。システム・キッチンでオーブンや食器洗浄機がついているか、ウォシュレットがあるか、床暖房かなど機能優先である。しかしそれで幸せかといえば、必ずしもそうではない。なぜなら人間は動物であり、動物としての根元的な欲求は利便性だけでは満たすことができないものだからだ。例えば、採光や照明について考えてみよう。日本の高級住宅といえばどの部屋も明るい。高級住宅だけではない。一般の住宅やマンションでもたいてい部屋の隅々まで光が行き届いていて、夜でもスイッチを切らない限り暗い場所がない。とにかく明るくてきれいである。ところがなぜか落ち着かない。これとは対照的に、英国の住宅の照明は暗い。といっても設備が古いとか電気代を節約しているというわけではない。あえて暗く住んでいるのである。初めて英国の家庭を訪問した日本人はまずこの暗さにとまどう。電気スタンドによる薄暗い間接照明。その中で読書や刺繡《ししゅう》をしている。テレビをつけるとその明るさに驚くほどだ。なんだかとても眼に悪そうな気がする。だがしばらくその空間にいると、不思議なことに心が安らいでいく自分に気がつく。そこには夜があるからだ。もともと動物は夜は闇《やみ》の中で暮らしていた。夜は昼間の緊張と疲れをほぐすための安らぎの時間なのであり、家族や友人たちとゆっくりと語り合えるときでもある。ところがこうこうと電気がついている日本の住宅には夜がない。昼間と同じ雰囲気が続いていて神経が休まる暇がないのだ。これではストレスが溜《た》まるはずである。それだけではない。闇は私たちの想像力を逞《たくま》しくする。私たちの遠い祖先は暗闇を恐れ、その中を覗《のぞ》き込むと悪魔や幽霊を見ることができた。暗い道を一人で歩いていると、何かが追いかけてくるような恐怖に襲われたことがどなたにもあるだろう。長く伸びた木の枝が風に揺れるとお化けの手のように見えたりしたものだ。それと同じ感覚である。家の中でも子供の頃に闇を体験していると想像力が豊かになる。世界的なベストセラーとなったハリー・ポッターはそんな闇のもつ幻想が生み出した物語のひとつだ。夜中でもコンビニの明かりで眩《まぶ》しい日本の都市、部屋の隅々まで明るい住宅ではあんな作品は絶対に生まれない。明るい街や家は一見安全で便利だが、私たちからかけがえのない想像力を奪い取ってしまっているのである。このことに私たちはもっと早く気がつくべきだった。

住宅の価値に対する考え方も英国と日本では根本的に違う。やっとの思いで手に入れた家で私たちは出来るだけ長く住みたいと思う。ところが日本の場合は築二〇年で住宅の価値はゼロとみなされてしまう。だからマンションを購入した人は一戸建てを目指し、一戸建てを手に入れた人はその価値が下がらないうちにさらに広い一戸建てへと、井形さんが本書で指摘しているように、住宅の使い捨てが進んでいる。英国では築一〇〇年以上たった家が現在でも住宅として売買され、住み続けられる。古くて幽霊の出る家の方が高い値段がついたりするのがほんとうに面白い。住宅は建てられたときからその歴史が始まり、住む人の人生観がそこに刻み込まれていく場所なのである。「家は持った時からが始まり。イギリス人は家と関わる喜びと楽しみを知っている」と井形さんは考察している。だから使い捨てという感覚がない。絵や人形を飾ったり、庭や壁を改修しながら自分好みの生活空間に作り上げていくのである。英国の家は一般的に質素でハリウッドの映画俳優の邸宅のように派手に外に向かって主張したりはしない。英国人にとって住まいは他人に見栄《みえ》をはるためのショールームではなく、家族や知人が集まって暖かく豊かな時間を過ごす場所だからだ。家具ひとつにしても米国人や日本人のように頻繁に買い換えたりはしない。壊れて修理できなくなるまで大切に使い続けるのである。それが五〇年後、一〇〇年後にはアンティークとして付加価値がつくのだから倍の楽しみがある。家の補修もできる限り自分たちでやる。もちろん常に街の景観を損なわないための配慮がなされている。親のそうした姿を見て子供は育つから、家や物、そして公共の場を大切にするという価値観が自然と身についていく。色彩や形状に調和のかけらもなく、自分だけよければいいという醜悪な日本の住宅の姿とは雲泥の差である。

日本人が英国にたいして一般的に抱いているイメージは伝統にしがみついている「斜陽の大国」だろう。しかしそれは誤った先入観にすぎない。娘がロンドンに住んでいることもあって、私も幾度となく英国を訪れている。最初はお天気が悪く、暗くて汚くて食事もまずい国という印象だった。気さくな米国人と比べて、人々の態度もなにかよそよそしく感じられた。ひとくちで言えば、住みたくない国だったのである。しかし何度も訪れているうちに、享楽的な消費大国である米国とは対照的に英国は生活大国であることに気がつき始めた。人々はごく自然に仕事と私生活の区切りをきっちりとつけ、豊かに生きる術《すべ》を知っている。趣味を聞かれて堂々と「散歩」と答えられる感性に、私はやがて憧憬《どうけい》の念さえ抱くようになった。日本のようにレジャー施設で何万円も浪費しなくても、無料で楽しめる自然と景観。歴史に裏打ちされた伝統と文化。もちろんそれだけではない。最先端の科学技術やミュージカル、ロック音楽も楽しめる。お天気ばかりは変えられないが、今では様々なレストランがオープンして美味《おい》しい料理も楽しめるようになった。付加価値税（消費税）は一七・五パーセントと高いが、日本よりも社会福祉制度が充実しているので老後に対する不安も少ないようだ。自分の老後は自分で面倒みなければならない不安からせっせと貯金する日本とは違い、いざとなったら国が面倒をみてくれるという安心感があるのだろう。ちなみに英国の平均貯蓄額は日本の四分の一程度しかない。私は日本人が目指すべき姿は無駄の多い消費に明け暮れる米国ではなく、質素だが豊かな心をもって生きている英国ではないかと思っている。なによりも、私たちが戦後の経済発展の過程ですっかり失ってしまった「くらし」の文化が英国では脈々と生き続けていることが嬉《うれ》しいではないか。そんな生活大国があることをもっとたくさんの日本人に知ってもらいたい。英国の伝統やライフスタイルを伝える書物はこれまでにたくさんあるが、英国人の住宅文化を平易に、かつ鋭い洞察力を持って描かれた井形さんの作品はその意味でたいへん貴重だ。

（二〇〇四年四月、ニュースキャスター・明治大学文学部教授）

この作品は二〇〇〇年十二月大和書房より刊行された。

古《ふる》くて豊《ゆた》かなイギリスの家《いえ》
便《べん》利《り》で貧《まず》しい日《に》本《ほん》の家《いえ》

新潮文庫 い-74-1

平成十六年六月一日 発行

著者 井《い》形《がた》慶《けい》子《こ》

発行者 佐藤隆信

発行所 株式会社 新潮社
郵便番号 一六二―八七一一
東京都新宿区矢来町七一
電話 編集部(〇三)三二六六―五四四〇
読者係(〇三)三二六六―五一一一
http://www.shinchosha.co.jp

価格はカバーに表示してあります。

乱丁・落丁本は、ご面倒ですが小社読者係宛ご送付ください。送料小社負担にてお取替えいたします。

印刷・凸版印刷株式会社 製本・株式会社大進堂

ISBN4-10-148121-0 C0177